Classiques Larousse

Corneille
Cinna

tragédie

Édition présentée, annotée et commentée
par
DOMINIQUE RABAUD-GOUILLART
ancienne élève de l'E.N.S.
agrégée des lettres

LIBRAIRIE LAROUSSE

ISBN 2-03-871101-1
(Collection fondée par Félix Guirand et continuée par Léon Lejealle.)

Sommaire

Corneille, un inconnu trop connu

Paradoxe que la vie de Pierre Corneille : s'il existe sur lui de nombreux documents d'état civil, il est plus difficile de cerner quel individu il était. Une fiche imaginaire porterait les mentions suivantes : auteur dramatique français, né le 6 juin 1606 à Rouen (son lieu de résidence principal jusqu'en 1662) et mort à Paris le 1er octobre 1684. Son père était maître des Eaux et Forêts, sa mère, fille d'un avocat de Rouen. Il avait cinq frères et sœurs, dont Thomas, son cadet de dix-neuf ans.

Du mariage de Pierre Corneille avec Marie de Lampérière (1641), fille du lieutenant général des Andelys, naîtront sept enfants : en 1642, Marie, l'ancêtre de Charlotte Corday ; Pierre, en 1643, qui sera militaire comme son cadet François, né vers 1645 ; Marguerite, en 1650, qui deviendra religieuse, de même que Madeleine, née vers 1655 ; Charles, né en 1652 et qui mourra en 1665 ; enfin, Thomas, né vers 1656, qui sera abbé d'Aiguevive.

Les valeurs traditionnelles de la famille, de l'armée et de la religion sont donc fortement représentées chez les Corneille. Mais qui était réellement ce père de famille nombreuse que les peintres et les graveurs de l'époque ont fixé dans une attitude austère ?

Comment naît le goût de la poésie

Il fit de brillantes études chez les jésuites de Rouen, et obtint deux prix de vers latins, premiers indices du goût du jeune homme pour la poésie et pour l'Antiquité romaine.

Il semble s'être épris, encore très jeune, de la fille d'un maître des comptes de Rouen, Catherine Hue, évoquée plus tard en ces termes :

« J'ai brûlé fort longtemps d'une amour assez grande,
Et que jusqu'au tombeau je dois bien estimer,
Puisque ce fut par là que j'appris à rimer. »

(*Excuse à Ariste,* 1637)

La jeune fille fut mariée à un autre, mais l'important est que Corneille vit en elle l'inspiratrice qui le conduisit à la poésie.

Le mariage de Corneille, à 34 ans, fut, selon son neveu Fontenelle (écrivain et auteur d'ouvrages de vulgarisation scientifique), un mariage d'amour avec une jeune femme de onze ans sa cadette. L'amour conjugal n'empêche pas, cependant, Corneille d'être très attiré, ainsi que son frère Thomas, auteur dramatique lui aussi, par la comédienne Marquise du Parc, venue à Rouen en 1658 pour jouer avec la troupe de Molière, mais les vers enthousiastes qu'il lui envoie ne sont peut-être pas à prendre au sérieux...

Mademoiselle du Parc (1633-1668).

Les activités professionnelles

Licencié en droit en 1624, pourvu de deux « offices » achetés pour lui par son père, il représente les intérêts de l'État devant la « Table de marbre », c'est-à-dire le tribunal chargé des affaires des Eaux et Forêts. Corneille s'acquittera de sa tâche avec conscience jusqu'en 1650 (on est alors en pleine Fronde), date à laquelle il est nommé procureur des états de Normandie à la place d'un ennemi de Mazarin ; il est alors contraint de vendre ses charges d'avocat, incompatibles avec la fonction de procureur. Mais, un an plus tard, le précédent procureur sera réintégré dans sa fonction, et Corneille, victime de sa fidélité à Mazarin, se retrouvera sans emploi.

Un épisode de la Fronde : combat livré par le prince de Condé, place Saint-Antoine à Paris (2 juillet 1652). B. N., Paris.

Il n'est cependant pas gêné financièrement. Certes, ses deux fils officiers lui coûteront très cher, ses deux filles religieuses apporteront de fortes sommes à leur couvent, et des dots fort importantes assureront à sa fille aînée deux mariages nobles. Mais il tire des revenus importants de ses œuvres : accords financiers avec les acteurs jouant ses pièces, publication de ses livres à compte d'auteur, qui permet de revendre les droits, avec bénéfice, à un libraire ; Corneille sait fort bien monnayer son talent. Ajoutons qu'il reçut des pensions, en particulier de Richelieu et de Fouquet, surintendant des Finances à partir de 1653, et qu'il mena une vie simple et tranquille, ce qui permit à ses contemporains de lui établir une solide réputation d'avarice.

Un esprit fier, épris de gloire et de liberté

Ce bourgeois modeste, cet homme tranquille, « mélancolique » au dire de Fontenelle, avait aussi des prétentions nobiliaires pour sa famille et concevait un grand orgueil de son œuvre :

« Je ne dois qu'à moi seul toute ma renommée,
Et pense toutefois n'avoir pas de rival
À qui je fasse tort en le traitant d'égal. »

(*Excuse à Ariste,* 1637)

Il ne cessera de corriger ses vers pour les publications successives. En 1660, notamment, paraît une édition en trois volumes, chacun étant précédé d'un *Discours* sur le théâtre et des examens des pièces où il exprime ses idées théoriques.

En 1682 paraît une édition complète, revue et corrigée de son œuvre. Corneille meurt à Paris en 1684.

Ainsi, dans ce bourgeois austère, attaché aux valeurs de la famille, se dissimule la fougue d'un esprit indépendant épris de gloire et de liberté, qui a su griser son imagination par l'évocation de héros au caractère généreux. « Il avait l'âme fière et indépendante, nulle souplesse, nul manège, ce qui l'a rendu très propre à peindre la vertu romaine », écrivit Fontenelle. C'est sans doute son œuvre qui nous livre le mieux ses aspirations secrètes.

Corneille
1606
création
de *Cinna*
(1640-1641)
début du succès
de Racine
(1670)
1684
La Bruyère (1645-1696)
Racine (1639-1699)
Boileau (1636-1711)
Pascal (1623-1662)
Molière (1622-1673)
La Fontaine (1621-1695)
Scudéry (1601-1667)
Descartes (1596-1650)
1634 : fondation de l'Académie française
Henri IV
1589-1610
Régence
Louis XIII
(1617-1643)
Régence
d'Anne
d'Autriche
Louis XIV
(1661-1715)
(1618-1648)
guerre de Trente Ans
(1642)
mort de Richelieu
(1648-1653)
la Fronde

Corneille écrivain

Les œuvres de jeunesse

Ce sont des comédies dont les héros, jeunes et souvent instables, partent à la recherche de l'amour et de la liberté : *Mélite* (saison 1629-1630), *Clitandre,* tragi-comédie (saison 1630-1631), *la Veuve* (saison 1631-1632), *la Galerie du Palais* (saison 1632-1633), *la Suivante* (saison 1633-1634), *la Place Royale* (saison 1633-1634). Les saisons théâtrales commençaient à l'automne pour s'achever au printemps.

Le personnage le plus intéressant de ces comédies est Alidor, héros de *la Place Royale :* amoureux d'Angélique, il refuse cependant de sacrifier sa liberté à son amour et laissera Angélique s'enfermer dans un couvent, tandis qu'il jouira amèrement de sa victoire sur lui-même. Le thème de la liberté est donc déjà essentiel pour Corneille.

Vers 1635, un changement s'opère dans l'espace dramatique français : *Sophonisbe,* tragédie de Mairet dont le succès est très grand (saison 1634-1635), redonne aux jeunes auteurs le goût d'écrire des tragédies. À la même époque, Richelieu désire encadrer la production littéraire française ; en 1635, il institue l'*Académie française ;* il s'entoure d'un groupe de cinq jeunes poètes, dont fait partie Corneille, chargés d'écrire des pièces de théâtre sur des sujets proposés par lui.

Corneille tente en 1635 sa première tragédie, *Médée,* ce qui ne l'empêche pas de produire une nouvelle comédie, *l'Illusion comique* (saison 1635-1636).

Les grandes tragédies

Le Cid, représenté au début de 1637, va consacrer le génie de Corneille, et reléguer les Mairet, Rotrou, Scudéry et autres auteurs au second plan. Cela n'ira pas sans jalousies. Une « querelle du *Cid* » éclate : « Il n'est point vraisemblable qu'une fille épouse le meurtrier de son père », critique Scudéry, qui accuse également Corneille de plagiat. Le « jugement » prononcé en décembre 1637 par l'Académie française à l'instigation de Richelieu donnera plutôt tort à Corneille qui mettra un certain temps à s'en remettre. Néanmoins, *Horace* sera joué en 1640, *Cinna* sans doute dans la saison 1640-1641 et *Polyeucte* dans la saison 1641-1642. Ce sont là les quatre grandes tragédies de Corneille où se trouve exaltée la grandeur du héros qui triomphe des autres et de lui-même.

Après une comédie, *le Menteur* (saison 1643-1644), suit toute une série de tragédies, dont *Rodogune* (1644) et *Nicomède* (1650) sont sans doute les meilleures, alors que *Pertharite* (1651-1652) est une pièce extravagante qui n'a aucun succès.

En 1647, Corneille est élu à l'Académie française.

Le déclin et la vieillesse

La France traverse alors des années fort troublées par la Fronde. L'échec de *Pertharite* pousse Corneille à interrompre sa production régulière de pièces et à se consacrer à la traduction en vers français d'un texte latin, *l'Imitation de Jésus-Christ* : c'est un gros succès.

En 1659 cependant, à l'instigation de Fouquet, Corneille revient à la tragédie avec *Œdipe*. Suit une dizaine de pièces souvent excessives, dont *Sertorius* (1662) et *Suréna* (1674). Les héros tel Sertorius y ont pris de l'âge, comme Corneille lui-même ; ils ne croient plus en leur chance, tel Suréna, et soupirent après leur bonheur perdu. Faut-il y voir la mélancolie de la vieillesse de Corneille ? Ces années sont également attristées par le succès grandissant du jeune Racine, dont les tragédies sont plus appréciées du public ; ainsi *Bérénice* de Racine (1670) éclipse *Tite et Bérénice* de Corneille (1670).

Histoire de la pièce

L'écriture de *Cinna*

Plusieurs années s'écoulent entre les représentations du *Cid* (début 1637) et celles de *Cinna* (vers 1641). Corneille connaît des difficultés de tous ordres : littéraires, avec la querelle du *Cid* (1637), qui l'affecte beaucoup ; personnelles : mort de son père, problèmes de succession et tutelle de ses frère et sœur mineurs ; professionnelles avec la nomination d'un deuxième avocat du roi à la « Table de marbre », qui enlève de la valeur à la charge de Corneille, et les démarches, vaines, pour s'y opposer.

Cependant, cette période s'achève heureusement pour lui, par son mariage avec Marie de Lampérière, en 1641. C'est à cette époque que Corneille compose *Horace* et *Cinna*.

Cinna et l'actualité politique

Cinna met en scène un complot déjoué par une trahison, mais qui se termine bien grâce à la clémence de l'empereur Auguste.

Corneille peut avoir été inspiré par l'actualité politique de son temps, particulièrement agitée et riche en complots divers. Depuis la « conspiration des dames », organisée par Mme de Chevreuse et le ministre Chalais en 1626 contre Richelieu, puis dénoncée par Chalais à Richelieu qui avait d'abord pardonné (conspiration dont le schéma peut faire penser à l'intrigue de *Cinna*), jusqu'à la condamnation de Cinq-Mars et de De Thou en 1642, les complots et les exécutions se succèdent. Dans ces années qui précèdent la Fronde, les grands seigneurs ne pensent qu'à conspirer, à l'instigation de Gaston d'Orléans, frère cadet de Louis XIII et jaloux de son pouvoir.

Exécution de Chalais, gravure anonyme du XVIIe siècle.
Bibliothèque nationale, cabinet des Estampes, Paris.

On pourrait conclure avec Georges Couton (voir p. 201) : « Plutôt que de rattacher *Cinna* à un complot particulier, ou en attendant de pouvoir le faire avec certitude, je préférerais dire que la tragédie présente une conspiration de style Louis XIII : par l'importance qu'y tiennent les femmes et l'amour ; par les secrets mal gardés ; parce que les mobiles personnels ou familiaux se joignent aux raisons politiques, si bien qu'on ne distingue plus ce qui est désir politique de réformer le régime, ambitions particulières, souci de vendetta. »

Les nombreuses révoltes qui éclatent en France à cette époque peuvent également avoir influencé Corneille, en particulier le soulèvement des « Va-Nu-Pieds », en 1640. En effet, pour payer les armées engagées dans les batailles de la guerre de Trente Ans (1618-1648), Richelieu dut multiplier les taxes : l'augmentation du coût de la vie qui en résulta déclencha de nombreuses émeutes fiscales. La révolte des « Va-Nu-Pieds » eut lieu en Normandie et jusqu'à Rouen, la ville de Corneille. La répression, organisée par le chancelier Séguier, fut féroce. On peut imaginer qu'elle donna à Corneille l'occasion de réfléchir sur la clémence : non qu'il ait voulu donner une leçon à Richelieu, mais parce que, ayant en horreur les manifestations populaires, il pouvait considérer la clémence comme un moyen de maintenir l'ordre.

Complots politiques et clémence : deux thèmes à la mode

Plusieurs auteurs contemporains venaient de composer des tragédies ayant pour thème l'assassinat politique. Dans *Sophonisbe* (1635), de Mairet, l'État romain, incarné par Scipion, exige la mort de la reine Sophonisbe ; *la Mort de César,* de Scudéry, pièce jouée en 1635 et dédicacée à Richelieu, montre Brutus et ses complices parvenant à assassiner César, présenté comme un homme de bien ; au début de l'acte III, un débat sur l'abdication peut avoir inspiré la scène assez semblable de *Cinna,* où Auguste consulte Cinna et Maxime sur son projet d'abdiquer ; *la Mort de Brute et de Porcie* (1637), de Guérin de Bouscal, porte enfin le sous-titre significatif de *la Vengeance de la mort de César.*

Complots, assassinats politiques, vengeances sont donc des thèmes à la mode que l'on ne doit pas attribuer à Corneille en particulier.

La clémence elle aussi est un thème tragique fréquent, à résonance stoïcienne, que les auteurs empruntent au philosophe latin Sénèque (Ier siècle apr. J.-C.) depuis la fin du XVIe siècle.

Quant à l'anecdote de la clémence d'Auguste, Corneille l'a trouvée dans tous les manuels de morale de l'époque, souvent idéalisée et affadie. L'image conventionnelle d'un Auguste bon souverain avait en particulier été répandue dans le grand public par l'*Histoire romaine* de Coëffeteau (1574-1623) ; elle venait d'être reprise par Guez de Balzac, brillant épistolier et

Statue d'Auguste (Iᵉʳ siècle apr. J.-C.).
Musée du Louvre, Paris.

ami de Corneille, dans le cours public qu'il venait de présenter en 1638, à l'hôtel de Rambouillet, que fréquentait également Corneille.

Sénèque et Dion Cassius

L'anecdote du complot de Cinna, que pardonne Auguste, relatée par Sénèque dans le *De clementia,* et reprise par Montaigne au chapitre XXIII de son livre Ier (voir p. 151), devait être connue de Corneille depuis fort longtemps ; le texte de Montaigne figurait en tête de l'édition originale de *Cinna.*

S'emparant de ce sujet, Corneille crée le personnage d'Émilie auquel il donne une authenticité historique en l'imaginant fille de Toranius, tuteur d'Auguste ; il invente également le personnage de Maxime, donnant ainsi un nom au dénonciateur mentionné par Sénèque. Puis, rendant Cinna amoureux d'Émilie, il double le drame politique d'un roman d'amour.

La lecture de l'historien grec Dion Cassius (IIe siècle apr. J.-C.) devait enfin permettre à Corneille d'étoffer le débat politique. Dion consacre en effet de longues pages à la discussion qui oppose Agrippa et Mécène, conseillers et amis d'Auguste, sur la meilleure forme de gouvernement : en transposant les personnages, Corneille reprendra ce débat au début de l'acte II de *Cinna.*

Quand il écrit cette tragédie, il est donc à la fois un homme de son temps, un penseur au courant des thèmes politiques de son époque et un lecteur nourri d'histoire romaine.

Représentation et publication de l'œuvre

On ne connaît pas exactement la date de la première représentation de *Cinna.* Décembre 1640 ? Ou seulement un an plus tard ? Il est seulement probable que la pièce fut représentée au théâtre du Marais, par la troupe du même nom, fondée par l'acteur Mondory, qui avait encouragé les débuts de Corneille. *Cinna* fut, par la suite, repris par la troupe de l'Hôtel de Bourgogne, puis par la troupe de Molière, et ne quitta jamais le répertoire. On sait que la pièce plut beaucoup à Napoléon.

À ses débuts, *Cinna* ne fut pas interprété, comme aujourd'hui, en costumes romains, mais en costumes de cour. Un siècle plus tard, Voltaire se moquera de ces représentations dépourvues de naturel, caractérisées « par la plus ridicule affectation dans l'habillement, dans la déclamation et dans les gestes. On voyait Auguste avec la démarche d'un matamore, coiffé d'une perruque carrée qui descendait par-devant jusqu'à la ceinture. Cette perruque était farcie de feuilles de laurier, et surmontée d'un large chapeau avec deux rangs de plumes rouges ».

Le succès de la pièce fut très grand, comme en témoigne Corneille au début de son Examen sur *Cinna* (voir p. 147). Selon Voltaire (1694-1778), le Grand Condé fut très impressionné par la dernière scène de *Cinna* : « C'est là ce qui fit verser des larmes au Grand Condé, larmes qui n'appartiennent qu'à de belles âmes. » Il semble d'ailleurs que le public épris de romanesque se soit beaucoup plus intéressé au sort des deux jeunes gens qu'au problème moral vécu par Auguste.

Enfin, l'achevé d'imprimer date seulement du 18 janvier 1643. Contrairement à l'habitude de l'époque, Corneille, soucieux de ses droits d'écrivain, fit établir le privilège d'imprimer à son nom et non à celui d'un libraire : cette manœuvre lui permit de faire imprimer la pièce à ses frais à Rouen et d'en revendre ensuite les droits, avec bénéfice, à un éditeur parisien. Il procédera de la même façon pour les pièces suivantes.

Les principaux personnages

Auguste, Cinna, Livie : des personnages historiques

Après la mort de César (44 av. J.-C.), Octave (né en 63 av. J.-C.) forme le second triumvirat avec Antoine et Lépide. Jeune homme cynique et cruel, il proscrit ses ennemis. Il devient seul maître du pouvoir après sa victoire sur Antoine à Actium (31). En 27, il reçoit le nom d'Auguste. Il réorganise la vie politique, l'administration de l'Italie et des provinces et s'entoure d'artistes et d'écrivains. Son règne apparaît comme une période brillante de l'histoire romaine. Il meurt en 14 apr. J.-C.

On connaît essentiellement Cinna par l'anecdote de Sénèque dans le *De clementia* et par la phrase suivante : « On lui [à Auguste] apporta la nouvelle que Lucius Cinna, homme d'esprit borné, organisait contre lui un guet-apens. » Il est petit-fils de Pompée. Corneille enrichit considérablement le personnage dans sa tragédie.

Livie (56 av. J.-C.-29 apr. J.-C.) est la seconde femme d'Auguste. D'un premier mariage, elle est la mère de Tibère, qui succédera à Auguste.

Les personnages inventés

Émilie, héroïne de la pièce, est imaginée par Corneille. Il lui prête cependant une vraisemblance historique en la faisant fille de Toranius, personnage assez mal connu dont les historiens antiques nous apprennent cependant que, alors qu'il avait été tuteur d'Auguste, il fut assassiné pendant les proscriptions de celui-ci.

Le personnage de Maxime, amoureux d'Émilie, était nécessaire pour trahir le complot ourdi par Émilie et Cinna.

Livie, tête en basalte (Ier siècle av. J.-C.)
Musée du Louvre, Paris.

Les personnages historiques souvent mentionnés dans *Cinna*

Agrippa (63-12 av. J.-C.) : brillant général romain qui aide son ami Auguste à parvenir au pouvoir. Il épouse ensuite Julie, la fille d'Auguste, dont il a plusieurs enfants. Sa mort et celle de ses deux fils seront un drame pour la succession d'Auguste.

Antoine (83-30 av. J.-C.) : partisan de César, il forme, après la mort de celui-ci, le second triumvirat avec son rival Octave et avec Lépide. Ses relations avec Octave, le futur Auguste, sont orageuses : il épouse d'abord sa sœur Octavie, mais la répudie bientôt en faveur de la reine d'Égypte Cléopâtre, dont la beauté avait déjà séduit César. La bataille d'Actium oppose finalement Octave et Antoine en 31. Vaincu et assiégé dans Alexandrie, Antoine se suicide.

Brutus (vers 86-42 av. J.-C.) : fils d'une sœur de Caton d'Utique, il est ensuite adopté et protégé par César ; il accepte cependant de participer à l'assassinat de celui-ci. En le reconnaissant parmi ses meurtriers, ce dernier prononce le célèbre : « Toi aussi, mon fils ! » Obligé de s'exiler, Brutus se suicidera après la bataille gagnée par Antoine et Octave à Philippes (42).

César (101-44 av. J.-C.) : patricien (noble) passé au service des idées populaires, il devient consul en 59 après avoir formé avec ses rivaux Pompée et Crassus l'entente du premier triumvirat (60). La conquête des Gaules (59-51) lui assure un prestige extraordinaire ainsi qu'une armée entièrement dévouée. Rentré illégalement en Italie (passage du Rubicon), il prend le pouvoir à Rome, élimine son ennemi Pompée à la bataille de Pharsale (48) et entreprend de réorganiser la vie sociale et politique à Rome. Son œuvre politique restera inachevée après son assassinat.

Marius (156-86 av. J.-C.) : brillant général romain, chef du parti populaire et ennemi de Sylla.

Mécène (69-8 av. J.-C.) : chevalier romain très riche, homme d'affaires et ami d'Auguste, il encourage les lettres et les arts, protégeant notamment Virgile et Horace.

Pompée (107-48 av. J.-C.) : brillant général vainqueur de Mithridate (132-63 av. J.-C.), roi du Pont, et des pirates qui infestent la Méditerranée. En 60, il forme l'entente du premier triumvirat avec César et Crassus. Sa rivalité avec César éclate en 54. Il est soutenu par le sénat, mais César finit par l'emporter et le vainc à Pharsale (48). Réfugié en Égypte, il est assassiné sur les ordres de Ptolémée, le frère de Cléopâtre.

Sylla (136-78 av. J.-C.) : lieutenant, puis rival de Marius, il devient le chef du parti aristocratique. Pendant une dizaine d'années, Rome est la proie des partisans tantôt de Marius, tantôt de Sylla, qui massacrent et proscrivent leurs ennemis. Après la mort de Marius (86), Sylla revient à Rome et tente une réorganisation politique de l'État. Devenu dictateur à vie en 82, il abdique cependant en 79.

Résumé schématique de l'œuvre

Acte I : la vengeance d'Émilie

Émilie, dont le père a autrefois été assassiné du fait des proscriptions d'Octave, le futur Auguste, a promis à Cinna de l'épouser s'il la vengeait en assassinant Auguste. La conjuration mise en place par Cinna est prête à se déclencher.

Acte II : un autre Auguste

Lassé du pouvoir, Auguste songe à abdiquer et demande leur avis à ses confidents Cinna et Maxime. Pour laisser toute sa chance au complot, Cinna démontre au prince que son pouvoir est nécessaire et parvient à le convaincre.

Maxime, qui fait lui aussi partie du complot, s'oppose à la thèse de Cinna et comprend que ce dernier n'agit que par amour pour Émilie.

Acte III : les hésitations de Cinna

Cinna est séduit par la grandeur d'âme et la politique d'Auguste. Tandis que Maxime, amoureux malheureux d'Émilie, est poussé par son confident Euphorbe à dénoncer le complot, Cinna ne parvient pas à convaincre Émilie de renoncer à son projet et se résout à tenir la promesse qu'il lui a faite.

Acte IV : la révélation du complot

Bouleversé par la trahison de Cinna, qu'Euphorbe vient de lui révéler, Auguste songe au suicide. Il refuse d'écouter son épouse Livie qui lui conseille la clémence comme remède politique. La fin de l'acte montre Émilie disposée à mourir si le complot est découvert ; elle refuse de suivre Maxime qui lui propose de fuir avec lui.

Acte V : l'apothéose d'Auguste

Triomphant de lui-même et de la triple trahison de Cinna, Émilie et Maxime, Auguste parvient à leur pardonner. Devant ce geste de clémence, Livie prophétise un avenir de grandeur et de paix à l'Empire romain.

Petit lexique cornélien

On trouvera ici réunis des mots dont le sens n'est plus le même en français moderne (« amant ») ou dont la fréquence est significative de l'univers cornélien et de sa conception du héros (« digne », « généreux », « gloire », « vertu »).

aigrir : exaspérer, irriter.
alarmes : dangers ; angoisses causées par le danger.
amant : celui qui aime et qui est aimé.
amitié : 1. sens actuel. 2. affection profonde, amour.
appâts : éléments qui attirent, tentations, charmes.
ardeur : passion.
artifice : ruse.
assiette : état d'esprit.
caresses : marques d'affection.
chagrin : tourments, grande tristesse.
charme : artifice qui attire comme par magie, attrait.
commettre : confier.
conseil : 1. sens moderne. 2. résolution, décision.
coup : « action extraordinaire et hardie, soit en bien, soit en mal » (*Dictionnaire* de Richelet, 1680).
courage : cœur, sentiments.
décevoir : tromper.
déplaisirs : violents chagrins.
devoir : obligation morale.
digne : qui mérite, soit en bien, soit en mal ; remarquable.
effet : réalisation, acte.
efforts : effets, résultats.

empire : pouvoir, puissance.
ennui : tourment insupportable.
étonner : frapper d'émotion et de stupeur.
étrange : incroyable, extraordinaire.
fers : chaînes.
feu : ardeur de l'amour ou d'une passion.
flamme : amour.
foi : fidélité à la parole donnée ; parole donnée.
funeste : qui apporte le désastre et la mort.
fureur : déchaînement d'une passion qui peut aller jusqu'à la folie.
gêne, gêner : torture, torturer.
généreux : « qui a l'âme grande et noble et qui préfère l'honneur à tout autre intérêt » (*Dictionnaire* de Furetière, 1690).
générosité : qualité des âmes généreuses.
gloire : 1. sentiment de l'honneur vis-à-vis des autres et de soi-même. 2. réputation née du mérite.
heur : bonheur.
hymen : mariage.
immoler : sacrifier.
indice : dénonciation.
injure : 1. tort, injustice. 2. injure.
loi : conditions.
maîtresse : personne aimée que l'on voudrait épouser.
mander : aller chercher.
mélancolie : désespoir profond.
neveu : petit-fils.
objet : 1. personne aimée. 2. cause.
parricide : 1. celui qui tue un membre de sa famille.

2. l'assassin d'un chef d'État.

perdre : 1. faire périr. 2. ne plus avoir.

prudence : prévoyance, sagesse.

ressentiment : douleur mêlée à un désir de vengeance.

sang : 1. race, famille, origine. 2. vie. 3. sang qui coule.

séduire : entraîner hors du droit chemin, détourner.

soin : 1. attachement, amour. 2. souci, préoccupation, efforts.

souffrir : supporter.

succès : résultat heureux ou malheureux.

trame : ruse, complot.

transports : manifestation extérieure d'une violente passion.

trépas : mort.

triste : 1. cruel, funeste (chose). 2. voué au malheur (personne).

tyran : souverain injuste et cruel.

vertu : 1. valeur morale, surtout née du courage. 2. au pluriel : qualités morales.

Pierre Corneille en 1644.
Gravure anonyme, Bibliothèque nationale, Paris.

CORNEILLE

Cinna

tragédie
représentée pour la première fois
en 1640-1641

Dédicace à Monsieur de Montoron[1]

Monsieur,

Je vous présente un tableau d'une des plus belles actions d'Auguste. Ce monarque était tout généreux, et sa générosité n'a jamais paru avec tant d'éclat que dans les effets de sa clémence et de sa libéralité[2]. Ces deux rares vertus lui étaient
5 si naturelles et si inséparables en lui, qu'il semble qu'en cette histoire que j'ai mise sur notre théâtre, elles se soient tour à tour entre-produites dans son âme. Il avait été si libéral envers Cinna, que sa conjuration ayant fait voir une ingratitude extraordinaire, il eut besoin d'un extraordinaire effort de
10 clémence pour lui pardonner ; et le pardon qu'il lui donna fut la source des nouveaux bienfaits dont il lui fut prodigue, pour vaincre tout à fait cet esprit qui n'avait pu être gagné par les premiers ; de sorte qu'il est vrai de dire qu'il eût été moins clément envers lui s'il eût été moins libéral, et qu'il
15 eût été moins libéral s'il eût été moins clément. Cela étant, à qui pourrais-je plus justement donner le portrait de l'une de ces héroïques vertus, qu'à celui qui possède l'autre en un si haut degré, puisque, dans cette action, ce grand prince les

---

1. *Monsieur de Montoron* : Pierre Puget, seigneur de Montoron (ou Montauron), financier parisien, était premier président des finances au bureau de Montauban et mécène protecteur du théâtre. Cette dédicace a été écrite en 1643.
2. *Libéralité* : générosité ; celle d'Auguste permettra de faire appel à la générosité financière de Montoron.

a si bien attachées et comme unies l'une à l'autre, qu'elles
20 ont été tout ensemble et la cause et l'effet l'une de l'autre ?
Vous avez des richesses, mais vous savez en jouir, et vous en
jouissez d'une façon si noble, si relevée, et tellement illustre,
que vous forcez la voix publique d'avouer que la fortune a
consulté la raison quand elle a répandu ses faveurs sur vous,
25 et qu'on a plus de sujet de vous en souhaiter le redoublement
que de vous en envier l'abondance[1]. J'ai vécu si éloigné de la
flatterie, que je pense être en possession[2] de me faire croire
quand je dis du bien de quelqu'un ; et lorsque je donne des
louanges (ce qui m'arrive assez rarement), c'est avec tant de
30 retenue, que je supprime toujours quantité de glorieuses
vérités, pour ne me rendre pas suspect d'étaler de ces
mensonges obligeants que beaucoup de nos modernes savent
débiter de si bonne grâce. Aussi je ne dirai rien des avantages
de votre naissance, ni de votre courage, qui l'a si dignement
35 soutenue dans la profession des armes[3], à qui vous avez
donné vos premières années : ce sont des choses trop connues
de tout le monde. Je ne dirai rien de ce prompt et puissant
secours que reçoivent chaque jour de votre main tant de
bonnes familles, ruinées par les désordres de nos guerres : ce
40 sont des choses que vous voulez tenir cachées. Je dirai
seulement un mot de ce que vous avez particulièrement de
commun avec Auguste : c'est que cette générosité qui compose
la meilleure partie de votre âme et règne sur l'autre, et qu'à
juste titre on peut nommer l'âme de votre âme, puisqu'elle
45 en fait mouvoir toutes les puissances ; c'est, dis-je, que cette
générosité, à l'exemple de ce grand empereur, prend plaisir à

1. Corneille fut d'ailleurs récompensé de ses louanges par une gratification de 200 pistoles.
2. *Être en possession* : être en droit.
3. *La profession des armes* : Montoron servit juste quelque temps dans le régiment des gardes.

s'étendre sur les gens de lettres, en un temps où beaucoup pensent avoir trop récompensé leurs travaux quand ils les ont honorés d'une louange stérile[1]. Et certes, vous avez traité
50 quelques-unes de nos muses avec tant de magnanimité, qu'en elles vous avez obligé toutes les autres, et qu'il n'en est point qui ne vous en doive un remercîment. Trouvez donc bon, Monsieur, que je m'acquitte de celui que je reconnais vous en devoir, par le présent que je vous fais de ce poème[2], que
55 j'ai choisi comme le plus durable des miens, pour apprendre plus longtemps à ceux qui le liront que le généreux Monsieur de Montoron, par une libéralité inouïe en ce siècle, s'est rendu toutes les muses redevables, et que je prends tant de part aux bienfaits dont vous avez surpris quelques-unes d'elles que
60 je m'en dirai toute ma vie.

MONSIEUR,

Votre très humble et très obligé serviteur,

CORNEILLE.

1. *Une louange stérile* : le roi devait sans doute accorder peu de pensions.
2. *Ce poème* : cette tragédie.

Cinna ou la clémence d'Auguste.
Frontispice pour une édition de la pièce
de Corneille en 1643. B. N., Paris.

Personnages

Octave-César Auguste, *empereur de Rome.*

Livie, *impératrice.*

Cinna, *fils d'une fille de Pompée, chef de la conjuration contre Auguste.*

Maxime, *autre chef de la conjuration.*

Émilie, *fille de C. Toranius, tuteur d'Auguste, et proscrit par lui durant le triumvirat.*

Fulvie, *confidente d'Émilie.*

Polyclète, *affranchi d'Auguste.*

Évandre, *affranchi de Cinna.*

Euphorbe, *affranchi de Maxime.*

La scène est à Rome[1].

1. *À Rome* : « La moitié de la pièce se passe chez Émilie et l'autre dans le cabinet d'Auguste », reconnaît Corneille, pour lequel l'unité de lieu est assurée par l'ensemble du palais d'Auguste. L'action se situe en l'an 6 av. J.-C.

Acte premier

Dans l'appartement d'Émilie.

SCÈNE PREMIÈRE. — ÉMILIE.

Impatients désirs d'une illustre vengeance
Dont la mort de mon père a formé la naissance,
Enfants impétueux de mon ressentiment,
Que ma douleur séduite[1] embrasse aveuglément,
5 Vous prenez sur mon âme un trop puissant empire.
Durant quelques moments souffrez[2] que je respire,
Et que je considère, en l'état où je suis,
Et ce que je hasarde et ce que je poursuis[3].
Quand je regarde Auguste au milieu de sa gloire,
10 Et que vous reprochez[4] à ma triste mémoire
Que par sa propre main mon père massacré[5]
Du trône où je le vois fait le premier degré[6],
Quand vous me présentez cette sanglante image,
La cause de ma haine, et l'effet de sa rage,
15 Je m'abandonne toute à vos ardents transports,
Et crois, pour une mort, lui devoir mille morts.

---

1. *Séduite* : égarée.
2. *Souffrez* : permettez.
3. *Et ce que je hasarde... poursuis* : qui j'expose à un hasard (Cinna), et qui je poursuis (Auguste) ; ce vers annonce le plan de la suite du monologue.
4. *Vous reprochez* : vous accusez ma mémoire d'oublier.
5. *Mon père massacré* : le massacre de mon père (latinisme).
6. *Le premier degré* : la première marche (image) qui a permis à Auguste d'accéder au pouvoir.

Au milieu toutefois d'une fureur si juste,
J'aime encor plus Cinna que je ne hais Auguste,
Et je sens refroidir ce bouillant mouvement
20 Quand il faut, pour le suivre[1], exposer mon amant.
Oui, Cinna, contre moi moi-même je m'irrite
Quand je songe aux dangers où je te précipite.
Quoique pour me servir[2] tu n'appréhendes rien,
Te demander du sang, c'est exposer le tien :
25 D'une haute place on n'abat point de têtes[3]
Sans attirer sur soi mille et mille tempêtes ;

Claude Mathieu (Émilie).
Mise en scène de Jean-Marie Villégier. Comédie-Française, 1984.

1. *Pour le suivre :* pour suivre ce mouvement.
2. *Servir :* ce mot appartient au vocabulaire galant et précieux.
3. *D'une... tête :* on n'abat point de têtes si haut placées.

L'issue en[1] est douteuse, et le péril certain :
Un ami déloyal peut trahir ton dessein ;
L'ordre[2] mal concerté, l'occasion mal prise,
30 Peuvent sur son auteur renverser l'entreprise,
Tourner sur toi les coups dont tu le veux frapper[3],
Dans sa ruine même il peut t'envelopper ;
Et quoi qu'en ma faveur ton amour exécute[4],
Il te peut, en tombant, écraser[5] sous sa chute.
35 Ah ! cesse de courir à ce mortel danger :
Te perdre en me vengeant, ce n'est pas me venger.
Un cœur est trop cruel quand il trouve des charmes
Aux douceurs que corrompt l'amertume des larmes ;
Et l'on doit mettre au rang des plus cuisants malheurs
40 La mort d'un ennemi qui coûte tant de pleurs.
Mais peut-on en verser alors qu'on venge un père ?
Est-il perte à ce prix qui ne semble légère ?
Et quand son[6] assassin tombe sous notre effort,
Doit-on considérer ce que coûte sa mort[7] ?
45 Cessez, vaines frayeurs, cessez, lâches tendresses,
De jeter dans mon cœur vos indignes faiblesses ;
Et toi qui les produis par tes soins superflus,
Amour, sers mon devoir, et ne le combats plus :
Lui céder, c'est ta gloire, et le vaincre, ta honte ;
50 Montre-toi généreux, souffrant[8] qu'il te surmonte ;
Plus tu lui[9] donneras, plus il va te donner,
Et ne triomphera que pour te couronner.

1. *En* : dans une telle tentative.
2. *L'ordre* : le plan.
3. *Dont tu le veux frapper* : dont tu veux le frapper (voir p. 188).
4. *En ma faveur... exécute* : ton amour travaille pour moi.
5. *Il te peut... écraser* : il peut t'écraser (voir v. 31).
6. *Son* : d'un père.
7. *Sa mort* : la mort de l'assassin.
8. *Souffrant* : en supportant (voir p. 187).
9. *Lui* : au devoir.

Acte I Scène 1

LE MONOLOGUE

1. Dans son commentaire sur *Cinna*, Voltaire remarque que « plusieurs actrices ont supprimé ce monologue dans les représentations ». Que peut-on effectivement reprocher à ce début ?

2. « Cependant, poursuit Voltaire, j'étais si touché des beautés répandues dans cette première scène, que j'engageai l'actrice qui jouait Émilie à la remettre au théâtre. » Pourquoi, comme le pense Voltaire, ce monologue est-il indispensable ? Comment appelle-t-on une telle scène ?

LA RHÉTORIQUE

3. En vous reportant au Petit dictionnaire, p. 204, vous montrerez que ce monologue est très rhétorique : dans sa construction et dans l'organisation des idées, dans l'emploi de figures de rhétorique (métaphores, antithèses, allégories, répétitions, apostrophes, interrogation oratoire, hyperbole, asyndète, inversions). En quoi ces figures donnent-elles de la force aux idées d'Émilie ?

LE PERSONNAGE D'ÉMILIE

4. Les deux aspects du caractère d'Émilie : l'énergie ; la tendresse et le romanesque. Cherchez le vocabulaire se rapportant à chacun de ces deux aspects.

5. Voici, parmi d'autres, quelques variantes :
— vers 2 : « À qui la mort d'un père a donné la naissance »,
— vers 5-6 : « Vous régnez sur mon âme avecque trop d'empire :
Pour le moins un moment souffrez que je respire »,
— vers 9 : « Quand je regarde Auguste en son trône de gloire »,
— vers 30 : « Peuvent dessus ton chef renverser l'entreprise ».
En quoi le texte définitif de 1682 est-il supérieur aux versions initiales ?

SCÈNE 2. ÉMILIE, FULVIE.

ÉMILIE

Je l'ai juré, Fulvie, et je le jure encore,
Quoique j'aime Cinna, quoique mon cœur l'adore,
55 S'il me veut posséder, Auguste doit périr :
Sa tête est le seul prix dont[1] il peut m'acquérir.
Je lui prescris la loi[2] que mon devoir m'impose.

FULVIE

Elle a pour la blâmer[3] une trop juste cause :
Par un si grand dessein vous vous faites juger
60 Digne sang de celui que vous voulez venger ;
Mais encore une fois souffrez que je vous die[4]
Qu'une si juste ardeur devrait être attiédie.
Auguste, chaque jour, à force de bienfaits,
Semble assez réparer les maux qu'il vous a faits ;
65 Sa faveur envers vous paraît si déclarée
Que vous êtes chez lui la plus considérée ;
Et de ses courtisans souvent les plus heureux
Vous pressent à genoux de lui parler pour eux.

ÉMILIE

Toute cette faveur ne me rend pas mon père ;
70 Et de quelque façon que l'on me considère,
Abondante en richesse, ou puissante en crédit,
Je demeure toujours la fille d'un proscrit[5].
Les bienfaits ne font pas toujours ce que tu penses ;

---

1. *Dont* : duquel, par lequel.
2. *La loi* : les conditions.
3. *Pour la blâmer* : pour qu'on la blâme. Au XVIIe siècle, on emploie librement l'infinitif ou le participe sans qu'il ait obligatoirement le même sujet que celui du verbe principal.
4. *Que je vous die* : que je vous dise (forme ancienne de subjonctif).
5. *Proscrit* : Toranius, proscrit par Auguste, puis assassiné.

D'une main odieuse[1] ils tiennent lieu d'offenses :
75 Plus nous en prodiguons à qui nous peut haïr,
Plus d'armes nous donnons à qui nous veut trahir.
Il m'en fait chaque jour sans changer mon courage ;
Je suis ce que j'étais, et je puis davantage,
Et des mêmes présents qu'il verse dans mes mains
80 J'achète contre lui les esprits des Romains ;
Je recevrais de lui la place de Livie
Comme un moyen plus sûr d'attenter à sa vie.
Pour qui venge son père il n'est point de forfaits[2],
Et c'est vendre son sang que se rendre aux bienfaits[3].

FULVIE

85 Quel besoin toutefois de passer pour ingrate ?
Ne pouvez-vous haïr sans que la haine éclate ?
Assez d'autres sans vous n'ont pas mis en oubli
Par quelles cruautés son trône est établi :
Tant de braves Romains, tant d'illustres victimes,
90 Qu'à son ambition ont immolé[4] ses crimes,
Laissent à leurs enfants d'assez vives douleurs
Pour venger votre perte en vengeant leurs malheurs.
Beaucoup l'ont entrepris, mille autres vont les suivre :
Qui vit haï de tous ne saurait longtemps vivre.
95 Remettez à leurs bras les communs intérêts[5],
Et n'aidez leurs desseins que par des vœux secrets.

ÉMILIE

Quoi ? Je le haïrai sans tâcher de lui nuire ?
J'attendrai du hasard qu'il ose le détruire ?
Et je satisferai des devoirs si pressants
100 Par une haine obscure et des vœux impuissants ?

Essaye de l'apaiser

---

1. *D'une main odieuse* : quand ils viennent d'une main odieuse.
2. *Pour qui... forfaits* : « À qui venge son père il n'est rien impossible » (*le Cid*, vers 417).
3. *Se rendre aux bienfaits* : se laisser vaincre par les bienfaits.
4. *Immolé* : immolés (voir p. 186).
5. *Communs intérêts* : intérêts communs (voir p. 188).

Sa perte, que je veux, me deviendrait amère,
Si quelqu'un l'immolait à d'autres qu'à mon père ;
Et tu verrais mes pleurs couler pour son trépas,
Qui, le faisant périr, ne me vengerait pas[1].
105 C'est une lâcheté que de remettre à d'autres
Les intérêts publics qui s'attachent[2] aux nôtres.
Joignons à la douceur de venger nos parents
La gloire qu'on remporte à punir les tyrans,
Et faisons publier par toute l'Italie :
110 « La liberté de Rome est l'œuvre d'Émilie ;
On a touché son âme, et son cœur s'est épris ;
Mais elle n'a donné son amour qu'à ce prix. »

FULVIE

Votre amour à ce prix n'est qu'un présent funeste
Qui porte[3] à votre amant sa perte manifeste.
115 Pensez mieux, Émilie, à quoi vous l'exposez,
Combien à cet écueil se sont déjà brisés ;
Ne vous aveuglez point quand sa mort est visible.

ÉMILIE

Ah ! tu sais me frapper par où je suis sensible.
Quand je songe aux dangers que je lui fais courir,
120 La crainte de sa mort me fait déjà mourir ;
Mon esprit en désordre à soi-même[4] s'oppose :
Je veux et ne veux pas, je m'emporte et je n'ose ;
Et mon devoir confus, languissant, étonné,
Cède aux rébellions de mon cœur mutiné[5].
125 Tout beau[6], ma passion, deviens un peu moins forte ;

1. *Qui... pas* : si, en le faisant périr, il ne me vengeait pas.
2. *S'attachent* : sont liés avec.
3. *Porte* : apporte ; on employait souvent le verbe simple là où nous employons le composé.
4. *À soi-même* : à lui-même ; comme en latin, le réfléchi « soi » pouvait renvoyer à un sujet déterminé.
5. *Mutiné* : qui se révolte.
6. *Tout beau* : cette expression noble, fréquente chez Corneille, n'était pas encore devenue familière.

Tu vois bien des hasards, ils sont grands, mais n'importe :
Cinna n'est pas perdu pour être hasardé[1].
De quelques légions qu'Auguste soit gardé,
Quelque soin qu'il se donne et quelque ordre qu'il tienne,
130 Qui méprise sa vie est maître de la sienne[2],
Plus le péril est grand, plus doux en est le fruit[3] ;
La vertu nous y jette, et la gloire le suit.
Quoi qu'il en soit, qu'Auguste ou que Cinna périsse,
Aux mânes[4] paternels je dois ce sacrifice,
135 Cinna me l'a promis en recevant ma foi[5],
Et ce coup[6] seul aussi le rend digne de moi.
Il est tard, après tout, de[7] m'en vouloir dédire.
Aujourd'hui l'on s'assemble, aujourd'hui l'on conspire ;
L'heure, le lieu, le bras se choisit[8] aujourd'hui,
140 Et c'est à faire enfin[9] à mourir après lui.

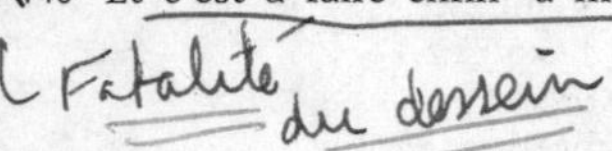

SCÈNE 3. CINNA, ÉMILIE, FULVIE.

ÉMILIE

Mais le voici qui vient. Cinna, votre assemblée
Par l'effroi du péril n'est-elle point troublée ?

---

1. *Pour être hasardé :* parce qu'il est exposé à des hasards.
2. *Qui... la sienne :* celui qui méprise sa vie est maître de celle d'Auguste. Le vers 130 traduit presque littéralement Sénèque : *Quisquis vitam suam contempsit, tuae dominus est.*
3. *Le fruit :* la récompense.
4. *Mânes :* âmes des morts, divinisées chez les Romains.
5. *Ma foi :* ma parole.
6. *Ce coup :* cette action.
7. *De :* pour.
8. *Se choisit :* se choisissent ; accord possible du verbe avec le sujet le plus proche (latinisme).
9. *Et c'est à faire enfin :* il ne me reste qu'à.

Et reconnaissez-vous au front[1] de vos amis
Qu'ils soient prêts à tenir ce qu'ils vous ont promis ?

CINNA

145 Jamais contre un tyran entreprise conçue
Ne permit d'espérer une si belle issue ;
Jamais de[2] telle ardeur on n'en jura la mort,
Et jamais conjurés ne furent mieux d'accord ;
Tous s'y montrent portés avec tant d'allégresse
150 Qu'ils semblent, comme moi, servir une maîtresse ;
Et tous font éclater un si puissant courroux
Qu'ils semblent tous venger un père comme vous.

ÉMILIE

Je l'avais bien prévu, que, pour un tel ouvrage,
Cinna saurait choisir des hommes de courage
155 Et ne remettrait pas en de mauvaises mains
L'intérêt d'Émilie et celui des Romains.

CINNA

Plût aux dieux que vous-même eussiez vu de quel zèle
Cette troupe entreprend une action si belle !
Au seul nom de César, d'Auguste, et d'empereur,
160 Vous eussiez vu leurs yeux s'enflammer de fureur,
Et dans un même instant, par un effet contraire,
Leur front pâlir d'horreur et rougir de colère.
« Amis, leur ai-je dit, voici le jour heureux
Qui doit conclure enfin nos desseins généreux :
165 Le ciel entre nos mains a mis le sort de Rome,
Et son salut dépend de la perte[3] d'un homme,
Si l'on doit le nom d'homme à qui n'a rien d'humain,
À ce tigre altéré de tout le sang romain.
Combien pour le répandre a-t-il formé de brigues[4] !

1. *Front* : visage, air.
2. *De* : avec.
3. *Perte* : mort, contraire de « salut ».
4. *Brigues* : manœuvres.

170 Combien de fois changé de partis et de ligues,
Tantôt ami d'Antoine, et tantôt ennemi[1],
Et jamais insolent ni cruel à demi ! »
Là, par un long récit de toutes les misères
Que durant notre enfance ont enduré[2] nos pères,
175 Renouvelant leur haine avec leur souvenir,
Je redouble en leurs cœurs l'ardeur de le punir.
Je leur fais des tableaux de ces tristes batailles
Où Rome par ses mains déchirait ses entrailles,
Où l'aigle abattait l'aigle[3], et de chaque côté
180 Nos légions s'armaient contre leur liberté ;
Où les meilleurs soldats et les chefs les plus braves
Mettaient toute leur gloire à devenir esclaves ;
Où, pour mieux assurer la honte de leurs fers,
Tous voulaient à leur chaîne attacher l'univers ;
185 Et l'exécrable honneur de lui[4] donner un maître
Faisant aimer à tous l'infâme nom de traître,
Romains contre Romains, parents contre parents,
Combattaient seulement pour le choix des tyrans.
J'ajoute à ces tableaux la peinture effroyable
190 De leur concorde[5] impie, affreuse, inexorable,
Funeste aux gens de bien, aux riches, au sénat,
Et pour tout dire enfin, de leur triumvirat ;
Mais je ne trouve point de couleurs assez noires

---

1. *Tantôt ami d'Antoine... ennemi* : après l'assassinat de César (44 av. J.-C.), Antoine et Octave s'affrontent à Modène (43 av. J.-C.), puis se réconcilient pour former le second triumvirat avec Lépide (43 av. J.-C.). Tous deux battent les meurtriers de César à Philippes (42 av. J.-C.). Les relations des deux hommes restent orageuses. Leur rupture date de 35 av. J.-C. et sera concrétisée par la bataille d'Actium (31 av. J.-C.) qui assurera définitivement le pouvoir d'Octave.
2. *Enduré* : endurées ; voir le vers 90.
3. *L'aigle* : l'aigle servait d'enseigne aux légions romaines ; par métonymie (voir p. 206), l'aigle désigne soldats et légions.
4. *Lui* : à l'univers.
5. *Concorde* : entente, accord.

Pour en représenter les tragiques histoires.
195 Je les peins dans le meurtre à l'envi triomphants[1],
Rome entière noyée au sang[2] de ses enfants ;
Les uns assassinés dans les places publiques,
Les autres dans le sein de leurs dieux domestiques[3] ;
Le méchant par le prix au crime encouragé ;
200 Le mari par sa femme en son lit égorgé ;
Le fils tout dégouttant du meurtre de son père,
Et sa tête à la main demandant son salaire,
Sans pouvoir exprimer par tant d'horribles traits[4]
Qu'un crayon[5] imparfait de leur sanglante paix.
205 Vous dirai-je les noms de ces grands personnages
Dont j'ai dépeint les morts pour aigrir[6] les courages,
De ces fameux proscrits, ces demi-dieux mortels[7],
Qu'on a sacrifiés jusque sur les autels ?
Mais pourrais-je vous dire à quelle impatience,
210 À quels frémissements, à quelle violence,
Ces indignes trépas, quoique mal figurés[8],
Ont porté les esprits de tous nos conjurés ?
Je n'ai point perdu temps[9], et, voyant leur colère
Au point de ne rien craindre, en état de tout faire,
215 J'ajoute en peu de mots : « Toutes ces cruautés,
La perte de nos biens et de nos libertés,

---

1. *Triomphants* : voir p. 186.
2. *Au sang* : dans le sang.
3. *Dieux domestiques* : dieux de la Maison, protecteurs du foyer ; l'assassinat est ici sacrilège.
4. *Exprimer... traits* : reprend l'image de la peinture (vers 195).
5. *Crayon* : esquisse (suite de l'image).
6. *Aigrir* : irriter.
7. *Demi-dieux mortels* : alliance de mots ; ces demi-dieux n'auraient pas dû être mortels, mais ont été sacrifiés (vers 208) d'une manière sacrilège.
8. *Mal figurés* : suite de l'image de la peinture, continuée avec « dépeint » (vers 206).
9. *Perdu temps* : l'absence d'article est fréquente (voir p. 188).

Le ravage des champs, le pillage des villes,
Et les proscriptions, et les guerres civiles,
Sont les degrés[1] sanglants dont Auguste a fait choix
220 Pour monter dans le trône[2] et nous donner des lois.
Mais nous pouvons changer un destin si funeste,
Puisque de trois tyrans[3] c'est le seul qui nous reste,
Et que juste une fois il s'est privé d'appui,
Perdant, pour régner seul, deux méchants comme lui.
225 Lui mort, nous n'avons point de vengeur ni de maître ;
Avec la liberté Rome s'en va renaître ;
Et nous mériterons le nom de vrais Romains[4],
Si le joug qui l'accable est brisé par nos mains.
Prenons l'occasion tandis qu'elle est propice :
230 Demain au Capitole il fait un sacrifice ;
Qu'il en soit la victime, et faisons en ces lieux
Justice à tout le monde, à la face des dieux :
Là presque pour sa suite il n'a que notre troupe ;
C'est de ma main qu'il prend et l'encens et la coupe[5],
235 Et je veux pour signal que cette même main
Lui donne, au lieu d'encens, d'un poignard dans le sein.
Ainsi d'un coup mortel la victime frappée
Fera voir si je suis du sang du grand Pompée[6],
Faites voir après moi si vous vous souvenez
240 Des illustres aïeux de qui vous êtes nés. »

violence

1. *Degrés* : même image qu'au vers 12.
2. *Dans le trône* : « dans » parce que le trône comprend un édifice en plus du siège, mais c'est un anachronisme ; Corneille imagine Auguste comme un roi de France.
3. *Trois tyrans* : les membres du triumvirat ; Antoine était mort après Actium et Lépide avait été exclu du pouvoir.
4. *Vrais Romains* : Romains vertueux comme au temps de la République romaine.
5. *La coupe* : Cinna, selon Sénèque, avait reçu le sacerdoce grâce à Auguste.
6. *Pompée* : Cinna est, par sa mère, petit-fils du « grand » (*magnus*, en latin) Pompée (107-48 av. J.-C.), rival de César.

À peine ai-je achevé que chacun renouvelle,
Par un noble serment, le vœu d'être fidèle :
L'occasion leur plaît ; mais chacun veut pour soi
L'honneur du premier coup, que j'ai choisi pour moi.
245 La raison règle enfin l'ardeur qui les emporte :
Maxime et la moitié s'assurent[1] de la porte ;
L'autre moitié me suit, et doit l'environner[2],
Prête au moindre signal que je voudrai donner.
Voilà, belle Émilie, à quel point nous en sommes.
250 Demain j'attends la haine ou la faveur des hommes,
Le nom de parricide ou de libérateur,
César celui de prince ou d'un usurpateur.
Du succès qu'on obtient contre la tyrannie
Dépend ou notre gloire ou notre ignominie ;
255 Et le peuple, inégal[3] à l'endroit des tyrans,
S'il les déteste morts, les adore vivants[4].
Pour moi, soit que le ciel me soit dur ou propice,
Qu'il m'élève à la gloire ou me livre au supplice,
Que Rome se déclare ou pour ou contre nous,
260 Mourant[5] pour vous servir, tout me semblera doux.

ÉMILIE

Ne crains point de succès qui souille ta mémoire :
Le bon et le mauvais sont égaux pour ta gloire ;
Et, dans un tel dessein, le manque de bonheur
Met en péril ta vie, et non pas ton honneur.
265 Regarde le malheur de Brute et de Cassie[6],

---

1. *S'assurent* : présent pour le futur ; Cinna s'imagine déjà la scène comme présente ; de même au vers 247.
2. *L'environner* : environner Auguste.
3. *Inégal* : inconstant, injuste.
4. *S'il les déteste... vivants* : genre de maxime affectionnée par Corneille ; les vers 256-258 sont construits sur une série d'oppositions.
5. *Mourant* : si je meurs.
6. *De Brute et de Cassie* : Brutus et Cassius, meurtriers de César en 44 av. J.-C., se suicidèrent après la bataille de Philippes, en 42. Corneille francise les noms latins.

Claude Mathieu (Émilie), Marcel Bozonnet (Cinna).
Mise en scène de Jean-Marie Villégier. Comédie-Française, 1984.

La splendeur de leurs noms en est-elle obscurcie ?
Sont-ils morts tous[1] entiers avec leurs grands desseins ?
Ne les compte-t-on plus pour les derniers Romains ?
Leur mémoire dans Rome est encor précieuse,
270 Autant que de César la vie est odieuse ;
Si leur vainqueur y règne, ils y sont regrettés,
Et par les vœux de tous leurs pareils souhaités.
Va marcher sur leurs pas où l'honneur te convie :
Mais ne perds pas le soin[2] de conserver ta vie ;
275 Souviens-toi du beau feu dont nous sommes épris,
Qu'aussi bien que la gloire Émilie est ton prix[3],
Que tu me dois ton cœur, que mes faveurs t'attendent,
Que tes jours me sont chers, que les miens en dépendent.
Mais quelle occasion mène[4] Évandre[5] vers nous ?

1. *Tous :* tout (voir p. 189).
2. *Ne perds pas le soin :* prends bien soin.
3. *Prix :* récompense ; idée cornélienne que l'amour partagé est la récompense d'une conduite glorieuse.
4. *Mène :* amène ; emploi du verbe simple là où nous employons le composé.
5. *Évandre :* le personnage qui ouvre la scène suivante est, comme très souvent, présenté juste avant.

Acte I Scènes 2 et 3

L'ÉVOLUTION DE L'ACTION ET LES PERSONNAGES

1. Montrez que la scène 2 est bâtie sur trois objections successives de Fulvie aux projets d'Émilie, et sur les trois réponses d'Émilie à ces objections.

2. Quels sont les vers de la scène 2 qui prouvent la détermination d'Émilie ? Fulvie a-t-elle réussi à faire changer d'avis Émilie à la fin de la scène ?

3. Partagez-vous l'opinion du critique Serge Doubrovsky selon lequel : « En prétendant servir Rome, Émilie n'œuvre en fait que pour elle-même » ?

4. Charles Dullin remarque que : « Fulvie n'est pas non plus une confidente passe-partout. Elle est vivante ; on peut lui prêter une personnalité. » La première apparition de Fulvie justifie-t-elle cette remarque ?

5. Qu'est-ce que cette scène 2 ajoute à la précédente ?

VOCABULAIRE ET STYLISTIQUE

6. Étudiez le vocabulaire de la gloire et du devoir, puis le vocabulaire de la haine et de la vengeance dans la scène 2. Émilie vous semble-t-elle plutôt romanesque, ou plutôt barbare ?

7. En vous reportant au Petit dictionnaire p. 204, étudiez les procédés rhétoriques dans la dernière tirade (sc. 2).

LE DISCOURS DE CINNA

8. Faites le plan du discours de Cinna (scène 3). Étudiez l'alternance du discours direct et du discours indirect.

9. « Ce discours de Cinna est un des plus beaux morceaux d'éloquence que nous ayons dans notre langue. » Vous justifierez ce propos de Voltaire en cherchant les procédés rhétoriques employés par Corneille dans le discours de Cinna, et en vous aidant du Petit dictionnaire, p. 204.

10. Comment sont décrites les guerres civiles ? Relevez les termes forts et volontairement exagérés.

11. Le vocabulaire de la vengeance : quels sont dans le discours de Cinna les mots qui s'y rapportent ?

12. Le vocabulaire de la liberté : vous chercherez les mots exprimant la liberté et son contraire, la tyrannie. Définissez l'idéal républicain.

13. Que pensez-vous du caractère de Cinna ? Partagez-vous l'opinion de Serge Doubrovsky : « Quant à Cinna, on est bien obligé de constater, dès le premier acte, et sans attendre les développements ultérieurs, que son héroïsme n'est qu'une façade » ? Relevez notamment tous les termes relatifs à la peinture, qui montrent en Cinna un homme d'imagination.

14. Quels sont les sentiments d'Émilie à la fin de la scène ? Montrez comment ils sont traduits par le rythme des vers.

SCÈNE 4. CINNA, ÉMILIE, ÉVANDRE, FULVIE.

ÉVANDRE

280 Seigneur, César vous mande[1], et Maxime avec vous.

CINNA

Et Maxime avec moi ? Le sais-tu bien, Évandre ?

ÉVANDRE

Polyclète est encor chez vous à vous attendre
Et fût venu lui-même avec moi vous chercher,
Si ma dextérité[2] n'eût su l'en empêcher ;
285 Je vous en donne avis, de peur d'une surprise.
Il presse[3] fort.

ÉMILIE

Mander les chefs de l'entreprise !
Tous deux ! en même temps ! Vous êtes découverts.

CINNA

Espérons mieux, de grâce.

ÉMILIE

Ah ! Cinna, je te perds[4] !
Et les dieux, obstinés à nous donner un maître,
290 Parmi tes vrais amis ont mêlé quelque traître.
Il n'en faut point douter, Auguste a tout appris.
Quoi ? tous deux ! et sitôt que le conseil est pris !

CINNA

Je ne vous puis celer[5] que son ordre m'étonne ;
Mais souvent il m'appelle auprès de sa personne ;

---

1. *Mande* : demande de venir.
2. *Dextérité* : adresse.
3. *Il presse* : cela presse.
4. *Je te perds* : c'est moi qui cause ta perte.
5. *Celer* : cacher.

295 Maxime est comme moi de ses plus confidents[1],
Et nous nous alarmons peut-être en imprudents.

ÉMILIE

Sois moins ingénieux à te tromper toi-même,
Cinna ; ne porte point mes maux jusqu'à l'extrême ;
Et puisque désormais tu ne peux me venger,
300 Dérobe au moins ta tête à ce mortel danger ;
Fuis d'Auguste irrité l'implacable colère.
Je verse assez de pleurs pour la mort de mon père ;
N'aigris point ma douleur par un nouveau tourment,
Et ne me réduis point à pleurer mon amant.

CINNA

305 Quoi ? sur l'illusion d'une terreur panique[2],
Trahir vos intérêts et la cause publique !
Par cette lâcheté moi-même m'accuser,
Et tout abandonner quand il faut tout oser !
Que feront nos amis si vous êtes déçue[3] ?

ÉMILIE

310 Mais que deviendras-tu si l'entreprise est sue ?

CINNA

S'il est pour me trahir des esprits assez bas,
Ma vertu pour le moins ne me trahira pas ;
Vous la verrez, brillante au bord des précipices,
Se couronner de gloire en bravant les supplices,
315 Rendre Auguste jaloux du sang qu'il répandra,
Et le faire trembler alors qu'il me perdra.
Je deviendrais suspect à tarder davantage.
Adieu, raffermissez ce généreux courage.
S'il faut subir le coup d'un destin rigoureux,

---

1. *Confidents* : aujourd'hui employé comme nom, « confident » était alors adjectif : qui jouit de la confiance.
2. *Sur l'illusion d'une terreur panique* : en étant trompé par une terreur sans raison.
3. *Vous êtes déçue* : vous vous trompez.

320 Je mourrai tout ensemble heureux et malheureux :
Heureux pour vous servir de perdre ainsi la vie,
Malheureux de mourir sans vous avoir servie.

ÉMILIE

Oui, va, n'écoute plus ma voix qui te retient !
Mon trouble se dissipe, et ma raison revient.
325 Pardonne à mon amour cette indigne faiblesse.
Tu voudrais fuir en vain[1], Cinna, je le confesse :
Si tout est découvert, Auguste a su pourvoir
À ne te laisser pas[2] ta fuite en ton pouvoir.
Porte, porte chez lui cette mâle assurance[3],
330 Digne de notre amour, digne de ta naissance ;
Meurs, s'il y faut mourir, en citoyen romain,
Et par un beau trépas couronne un beau dessein.
Ne crains pas qu'après toi rien ici me retienne :
Ta mort emportera mon âme vers la tienne :
335 Et mon cœur, aussitôt percé des mêmes coups...

CINNA

Ah ! souffrez que tout mort[4] je vive encore en vous ;
Et du moins en mourant[5] permettez que j'espère
Que vous saurez venger l'amant avec le père.
Rien n'est pour vous à craindre : aucun de nos amis
340 Ne sait ni vos desseins, ni ce qui m'est promis ;
Et, leur parlant[6] tantôt des misères romaines,
Je leur ai tu la mort qui fait naître nos haines,
De peur que mon ardeur, touchant vos intérêts,

---

1. *Tu voudrais fuir en vain :* c'est en vain que tu voudrais fuir.
2. *À ne te laisser pas :* à ne pas te laisser (voir p. 188).
3. *Mâle assurance :* voir *le Cid.*
« Sous moi donc cette troupe s'avance
Et porte sur le front une mâle assurance » (vers 1257-1258).
4. *Tout mort :* tout mort que je serai.
5. *En mourant :* permettez que j'espère en mourant.
6. *Leur parlant :* en leur parlant (voir vers 50).

D'un si parfait amour ne trahît les secrets :
345 Il n'est su que d'Évandre et de votre Fulvie.

ÉMILIE

Avec moins de frayeur je vais donc chez Livie,
Puisque dans ton péril il me reste un moyen
De faire agir pour toi son crédit[1] et le mien ;
Mais si mon amitié par là ne te délivre,
350 N'espère pas qu'enfin je veuille te survivre,
Je fais[2] de ton destin des règles à mon sort,
Et j'obtiendrai ta vie, ou je suivrai ta mort[3].

CINNA

Soyez en ma faveur moins cruelle à vous-même.

ÉMILIE

Va-t'en, et souviens-toi seulement que je t'aime.

1. *Son crédit :* son influence.
2. *Je fais :* je réglerai mon destin sur ton sort.
3. *Ou je suivrai ta mort :* ou je mourrai après toi.

Acte I Scène 4

LA SCÈNE

1. En quoi consiste le coup de théâtre au début de la scène 4 ? Quels sont les trois mots qui résument la situation ?

2. Dégagez l'opposition de rythme et de ton entre la scène 4 et la scène précédente.

AMOUR ET POLITIQUE

3. Les premières réactions (v. 280-292). Comment se manifeste d'abord le trouble de Cinna, puis le bouleversement d'Émilie ? Montrez qu'en Émilie la politique et l'amour sont intimement liés.

4. Cinna tente de rassurer Émilie (v. 293-310). Quels sont les arguments qu'il emploie ? Comment voit-on qu'à ce moment l'amour semble l'emporter dans l'esprit d'Émilie ?

5. Comparez l'attitude d'Émilie dans cette scène avec son attitude dans les scènes 1 et 2. Comment expliquez-vous ce changement ?

6. Dans cette scène, la liberté de Rome vous paraît-elle le motif profond qui fait agir Cinna, ou un simple moyen de gagner Émilie ?

L'EXALTATION LYRIQUE DES DEUX AMANTS

7. Cinna, le héros au service de sa dame. Vous étudierez, dans les vers 311 à 354 le vocabulaire de la gloire, de l'énergie et de la servitude.

8. Comment Émilie retrouve-t-elle le vocabulaire de la gloire au contact de Cinna ? Comment les deux amants font-ils assaut de générosité dans la recherche de la mort (thème fréquent chez Corneille) ?

9. Analysez le vocabulaire de l'amour précieux à la fin de la scène.

Questions sur l'ensemble de l'acte I

1. Vous justifierez cette opinion de Voltaire : « Il est important de voir que, dans ce premier acte, Cinna et Émilie s'emparent de tout

l'intérêt. On tremble qu'ils ne soient découverts. Vous verrez qu'ensuite cet intérêt change, et vous jugerez si c'est un défaut ou non. »

2. Vous étudierez le personnage d'Émilie comme moteur de l'action ; son changement à la scène 4 ; ses ressemblances avec Chimène, l'héroïne du *Cid*.

3. En quoi Cinna est-il un personnage romanesque et un héros ? Est-il un homme d'action ou un homme d'imagination ? Est-il prêt à agir à la fin de l'acte I ?

4. Comment apparaît Auguste dans l'acte I ? Quel procédé dramatique Corneille emploie-t-il pour ce personnage dans l'acte I ? Pourquoi ?

5. Que savons-nous de la conjuration, des conjurés et du climat politique de Rome ?

Michel Etcheverry (Auguste).
Mise en scène de Simon Eine. Théâtre de l'Odéon, 1975.

Acte II

Dans l'appartement d'Auguste.

SCÈNE PREMIÈRE. AUGUSTE, CINNA, MAXIME, TROUPE DE COURTISANS.

AUGUSTE

355 Que chacun se retire, et qu'aucun n'entre ici.
Vous, Cinna, demeurez, et vous, Maxime, aussi.
(Tous se retirent, à la réserve de Cinna et de Maxime.)
Cet empire absolu sur la terre et sur l'onde,
Ce pouvoir souverain que j'ai sur tout le monde,
Cette grandeur sans borne et cet illustre rang,
360 Qui m'a jadis coûté tant de peine et de sang,
Enfin tout ce qu'adore en ma haute fortune[1]
D'un courtisan flatteur la présence importune,
N'est que de ces beautés dont l'éclat éblouit,
Et qu'on cesse d'aimer sitôt qu'on en jouit.
365 L'ambition déplaît quand elle est assouvie,
D'une contraire ardeur son ardeur est suivie ;
Et comme notre esprit, jusqu'au dernier soupir,
Toujours vers quelque objet pousse quelque désir,
Il se ramène en soi[2], n'ayant plus où se prendre,
370 Et, monté sur le faîte[3], il aspire à descendre.

---

1. *Fortune :* situation, destin.
2. *Il se ramène en soi :* il se replie sur lui-même, n'ayant où se prendre, c'est-à-dire d'endroit où se raccrocher (métaphore de la montée).
3. *Le faîte :* le sommet ; le vers 370, très expressif, est l'un des plus célèbres de Corneille.

J'ai souhaité l'empire, et j'y suis parvenu ;
Mais en le souhaitant, je ne l'ai pas connu :
Dans sa possession j'ai trouvé pour tous charmes
D'effroyables soucis, d'éternelles alarmes,
375 Mille ennemis secrets, la mort à tous propos,
Point de plaisir sans trouble, et jamais de repos.
Sylla[1] m'a précédé dans ce pouvoir suprême ;
Le grand César, mon père[2], en a joui de même :
D'un œil si différent tous deux l'ont regardé,
380 Que l'un s'en est démis, et l'autre l'a gardé ;
Mais l'un[3], cruel, barbare, est mort aimé, tranquille,
Comme un bon citoyen dans le sein de sa ville ;
L'autre, tout débonnaire[4], au milieu du sénat
A vu trancher ses jours par un assassinat[5].
385 Ces exemples récents suffiraient pour m'instruire,
Si par l'exemple seul on se devait conduire :
L'un m'invite à le suivre, et l'autre me fait peur ;
Mais l'exemple souvent n'est qu'un miroir trompeur,
Et l'ordre[6] du destin qui gêne nos pensées
390 N'est pas toujours écrit dans les choses passées :
Quelquefois l'un se brise où l'autre s'est sauvé,
Et par où l'un périt un autre est conservé.
Voilà, mes chers amis, ce qui me met en peine.

1. *Sylla :* pendant une dizaine d'années, Rome, en proie à la guerre civile, passa aux mains tantôt de Sylla (136-78 av. J.-C.), tantôt de Marius, chef du parti populaire. Après la mort de Marius (86 av. J.-C.), Sylla proscrivit et massacra ses ennemis (83). Dictateur à vie en 82, il abdiqua en 79 et mourut en 78.
2. *César, mon père :* frère de Julie, la grand-mère d'Auguste, il avait adopté le jeune Octave, futur Auguste.
3. *L'un :* Sylla, mort dans la paix, après des années de guerre civile.
4. *L'autre, tout débonnaire :* César, tout débonnaire qu'il était (et non cruel, comme Sylla).
5. *Un assassinat :* l'assassinat de César, aux ides de mars (15 mars 44 av. J.-C.).
6. *L'ordre :* le plan.

Vous, qui me tenez lieu d'Agrippe et de Mécène[1],
395 Pour résoudre ce point avec eux débattu,
Prenez sur mon esprit le pouvoir qu'ils ont eu.
Ne considérez point cette grandeur suprême,
Odieuse aux Romains et pesante à moi-même ;
Traitez-moi comme ami, non comme souverain ;
400 Rome, Auguste, l'État, tout est en votre main :
Vous mettrez et l'Europe, et l'Asie, et l'Afrique
Sous les lois d'un monarque ou d'une république ;
Votre avis est ma règle, et par ce seul moyen
Je veux être empereur ou simple citoyen.

CINNA

405 Malgré notre surprise et mon insuffisance,
Je vous obéirai, Seigneur, sans complaisance,
Et mets bas[2] le respect qui pourrait m'empêcher
De combattre un avis où[3] vous semblez pencher.
Souffrez-le d'un esprit jaloux de[4] votre gloire,
410 Que vous allez souiller d'une tache trop noire,
Si vous ouvrez votre âme à ces impressions
Jusques à condamner toutes vos actions.
On ne renonce point aux grandeurs légitimes ;
On garde sans remords ce qu'on acquiert sans crimes ;
415 Et plus le bien qu'on quitte est noble, grand, exquis[5],
Plus qui l'ose quitter le juge mal acquis.
N'imprimez pas, Seigneur, cette honteuse marque
À ces rares vertus qui vous ont fait monarque ;

1. *Agrippe... Mécène* : nom francisé d'Agrippa (63-12 av. J.-C.), brillant général, ami et conseiller d'Auguste, dont il avait épousé la fille ; Mécène (69-8 av. J.-C.), ami et conseiller d'Auguste, protecteur des arts. Selon l'historien Dion Cassius, Auguste les avait consultés sur un projet d'abdication.
2. *Mets bas* : je laisse tomber, je mets de côté.
3. *Où* : vers lequel.
4. *Jaloux de* : attaché à.
5. *Exquis* : recherché, précieux.

Vous l'êtes[1] justement, et c'est sans attentat
420 Que vous avez changé la forme de l'État.
Rome est dessous[2] vos lois par le droit de la guerre,
Qui sous les lois de Rome a mis toute la terre ;
Vos armes l'ont conquise, et tous les conquérants
Pour être usurpateurs ne sont pas des tyrans[3] ;
425 Quand ils ont sous leurs lois asservi des provinces,
Gouvernant[4] justement, ils s'en font justes[5] princes :
C'est ce que fit César ; il vous faut aujourd'hui
Condamner sa mémoire, ou faire comme lui.
Si le pouvoir suprême est blâmé par Auguste,
430 César fut un tyran et son trépas fut juste,
Et vous devez aux dieux compte de tout le sang
Dont[6] vous l'avez vengé pour monter à son rang.
N'en[7] craignez point, Seigneur, les tristes destinées ;
Un plus puissant démon[8] veille sur vos années :
435 On a dix fois sur vous attenté sans effet,
Et qui l'a voulu perdre[9] au même instant l'a fait.
On entreprend assez, mais aucun n'exécute[10] ;
Il est des assassins, mais il n'est plus de Brute[11] :
Enfin, s'il faut attendre un semblable revers[12],
440 Il est beau de mourir maître de l'univers.

---

1. *Vous l'êtes :* vous êtes monarque.
2. *Dessous :* sous ; confusion fréquente entre adverbe et préposition.
3. *Pour être usurpateurs... tyrans :* ce n'est pas parce qu'ils sont des usurpateurs qu'ils sont des tyrans.
4. *Gouvernant :* en gouvernant (voir p. 187).
5. *Justes :* légitimes ; glissement de sens par rapport à « justement » (syllepse, voir p. 207).
6. *Dont :* avec lequel.
7. *En :* de César.
8. *Démon :* génie qui, pour les Anciens, préside au destin des individus et même de l'État.
9. *Qui l'a voulu perdre :* qui a voulu perdre César.
10. *Entreprend, exécute :* employés sans complément.
11. *Brute :* voir vers 265.
12. *Revers :* retour de situation.

C'est ce qu'en peu de mots j'ose dire, et j'estime
Que ce peu que j'ai dit est l'avis de Maxime.

MAXIME

Oui, j'accorde qu'Auguste a droit de conserver
L'empire où sa vertu l'a fait seul arriver,
445 Et qu'au prix de son sang, au péril de sa tête,
Il a fait de l'État une juste conquête ;
Mais que sans se noircir il ne puisse quitter
Le fardeau que sa main est lasse de porter,
Qu'il accuse par là César de tyrannie,
450 Qu'il approuve sa mort, c'est ce que je dénie[1].
Rome est à vous, Seigneur, l'empire est votre bien ;
Chacun en liberté peut disposer du sien :
Il le peut à son choix garder ou s'en défaire ;
Vous seul ne pourriez pas ce que peut le vulgaire[2],
455 Et seriez devenu, pour avoir[3] tout dompté,
Esclave des grandeurs où vous êtes monté !
Possédez-les, Seigneur, sans qu'elles vous possèdent.
Loin de vous captiver, souffrez qu'elles vous cèdent[4] ;
Et faites hautement connaître enfin à tous
460 Que tout ce qu'elles ont est au-dessous de vous.
Votre Rome[5] autrefois vous donna la naissance ;
Vous lui voulez donner[6] votre toute-puissance ;
Et Cinna vous impute à crime capital[7]
La libéralité vers[8] le pays natal !
465 Il appelle remords l'amour de la patrie !

---

1. *Je dénie* : je nie, je conteste.
2. *Le vulgaire* : la foule.
3. *Pour avoir* : parce que vous avez.
4. *Loin de vous... cèdent* : supportez que ces grandeurs cèdent devant vous et ne vous rendent pas captif (voir « esclave », v. 456).
5. *Votre Rome* : cette Rome que vous possédez.
6. *Donner* : abandonner ; reprise du verbe du vers 461, avec jeu sur les mots.
7. *Vous impute à crime capital* : vous accuse comme d'un crime de.
8. *Vers* : envers.

Par la haute vertu[1] la gloire est donc flétrie,
Et ce n'est qu'un objet digne de nos mépris,
Si de ses pleins effets[2] l'infamie est le prix !
Je veux bien avouer qu'une action si belle
470 Donne à Rome bien plus que vous ne tenez d'elle ;
Mais commet-on un crime indigne de pardon,
Quand la reconnaissance est au-dessus du don ?
Suivez, suivez, Seigneur, le ciel qui vous inspire :
Votre gloire redouble à mépriser[3] l'empire ;
475 Et vous serez fameux chez la postérité,
Moins pour l'avoir conquis que pour l'avoir quitté.
Le bonheur[4] peut conduire à la grandeur suprême ;
Mais pour y renoncer il faut la vertu même ;
Et peu de généreux[5] vont jusqu'à dédaigner,
480 Après un sceptre acquis[6], la douceur de régner.
Considérez d'ailleurs que vous régnez dans Rome,
Où, de quelque façon que votre cour vous nomme,
On hait la monarchie ; et le nom d'empereur[7],
Cachant celui de roi, ne fait pas moins d'horreur.
485 Ils passent pour tyran quiconque s'y fait maître[8] ;
Qui le sert, pour esclave, et qui l'aime, pour traître ;
Qui le souffre a le cœur lâche, mol, abattu,
Et pour s'en[9] affranchir tout s'appelle vertu.
Vous en avez, Seigneur, des preuves trop certaines :
490 On a fait contre vous dix entreprises vaines ;

---

1. *La haute vertu* : la vertu qui pousse Auguste à abdiquer.
2. *Ses pleins effets* : les résultats de la vertu d'Auguste.
3. *À mépriser* : si vous méprisez.
4. *Le bonheur* : la chance ; s'oppose à « vertu », vers 478.
5. *Généreux* : s'oppose à « lâche ». L'adjectif employé comme substantif est un tour fréquent chez les précieux et chez Corneille.
6. *Un sceptre acquis* : l'acquisition d'un sceptre (tournure latine).
7. *Le nom d'empereur* : devant la haine des Romains pour les rois, Auguste prit le titre de *princeps,* « le premier », ou d'*imperator,* « général en chef », qui a donné notre « empereur ».
8. Ils regardent comme tyran quiconque devient maître de Rome.
9. *En* : du tyran.

Peut-être que l'onzième est prête d'éclater[1],
Et que ce mouvement[2] qui vous vient agiter
N'est qu'un avis secret que le ciel vous envoie,
Qui[3] pour vous conserver n'a plus que cette voie.
495 Ne vous exposez plus à ces fameux revers.
Il est beau de mourir maître de l'univers[4] ;
Mais la plus belle mort souille notre mémoire,
Quand nous avons pu[5] vivre et croître[6] notre gloire.

CINNA

Si l'amour du pays doit ici prévaloir,
500 C'est son bien seulement que vous devez vouloir ;
Et cette liberté, qui lui semble si chère,
N'est pour Rome, Seigneur, qu'un bien imaginaire,
Plus nuisible qu'utile, et qui n'approche pas
De celui qu'un bon prince apporte à ses États.
505 Avec ordre et raison les honneurs[7] il dispense,
Avec discernement punit et récompense,
Et dispose de tout en juste[8] possesseur,
Sans rien précipiter de peur d'un successeur[9].
Mais quand le peuple est maître, on n'agit qu'en tumulte :
510 La voix de la raison jamais ne se consulte[10] ;
Les honneurs sont vendus aux plus ambitieux,
L'autorité livrée aux plus séditieux.
Ces petits souverains[11] qu'il fait pour une année,

---

1. *Prête d'éclater :* il y a confusion, au XVIIe siècle, entre « prêt de » (= prêt à) et « près de » (= proche de).
2. *Mouvement :* sentiment, pressentiment.
3. *Qui :* le ciel qui.
4. *Il est beau... univers :* reprise du vers 440.
5. *Quand nous avons pu :* quand nous aurions pu (voir p. 187).
6. *Croître :* accroître.
7. *Les honneurs :* complément d'objet direct inversé.
8. *Juste :* légitime.
9. *De peur d'un successeur :* par manque de temps, le consulat ne durant qu'un an.
10. *Ne se consulte :* n'est consultée.
11. *Ces petits souverains :* les consuls, élus pour un an.

Voyant d'un temps si court leur puissance bornée,
515 Des plus heureux desseins font avorter le fruit,
De peur de le laisser à celui qui les suit.
Comme ils ont peu de part aux biens dont ils ordonnent[1],
Dans le champ du public largement ils moissonnent,
Assurés que chacun leur pardonne aisément,
520 Espérant à son tour un pareil traitement :
Le pire des États, c'est l'État populaire[2].

AUGUSTE

Et toutefois le seul qui dans Rome peut plaire.
Cette haine des rois, que depuis cinq cents ans[3]
Avec le premier lait sucent tous ses enfants,
525 Pour l'arracher des cœurs, est trop enracinée.

MAXIME

Oui, Seigneur, dans son mal Rome est trop obstinée :
Son peuple, qui s'y plaît, en fuit la guérison :
Sa coutume l'emporte, et non pas la raison ;
Et cette vieille erreur, que Cinna veut abattre[4],
530 Est une heureuse erreur dont il est idolâtre,
Par qui[5] le monde entier, asservi sous ses lois,
L'a vu cent fois marcher sur la tête des rois,
Son épargne[6] s'enfler du sac[7] de leurs provinces.
Que lui pouvaient de plus donner les meilleurs princes ?
535 J'ose dire, Seigneur, que par tous les climats[8]
Ne sont pas bien reçus toutes sortes d'États ;

1. *Dont ils ordonnent* : dont ils disposent.
2. *Le pire... populaire* : « l'État populaire, le pire de tous » (Bossuet).
3. *Depuis cinq cents ans* : Tarquin le Superbe, dernier roi de Rome, fut chassé en 509 av. J.-C.
4. *Abattre* : comme une idole ; voir vers 530.
5. *Par qui* : par laquelle (voir p. 188).
6. *Épargne* : trésor.
7. *Sac* : pillage.
8. *Climats* : régions ; même raisonnement, un siècle plus tard, chez Montesquieu dans *l'Esprit des lois*.

Chaque peuple a le sien conforme à sa nature,
Qu'on ne saurait changer sans lui faire une injure :
Telle est la loi du ciel, dont la sage équité
540 Sème dans l'univers cette diversité.
Les Macédoniens aiment le monarchique[1],
Et le reste des Grecs la liberté publique ;
Les Parthes[2], les Persans[3] veulent des souverains,
Et le seul consulat est bon pour les Romains.

CINNA

545 Il est vrai que du ciel la prudence infinie
Départ[4] à chaque peuple un différent génie[5] ;
Mais il n'est pas moins vrai que cet ordre des cieux
Change selon les temps comme selon les lieux.
Rome a reçu des rois ses murs[6] et sa naissance ;
550 Elle tient des consuls sa gloire et sa puissance,
Et reçoit maintenant de vos rares bontés
Le comble souverain de ses prospérités.
Sous vous, l'État n'est plus en pillage aux armées ;
Les portes de Janus[7] par vos mains sont fermées,
555 Ce que sous ses consuls on n'a vu qu'une fois
Et qu'a fait voir comme eux le second de ses rois[8].

---

1. *Le monarchique* : la monarchie ; allusion à Philippe de Macédoine (382-336 av. J.-C.) et à son fils Alexandre (356-323 av. J.-C.).
2. *Les Parthes* : redoutables adversaires de Rome, qui avaient, en particulier, battu et tué Crassus en 53 av. J.-C.
3. *Les Persans* : les Perses, donnant l'image de la monarchie barbare des Cyrus, Darius et Xerxès.
4. *Départ* : distribue (du verbe « départir »).
5. *Génie* : dispositions naturelles.
6. *Ses murs* : Rome, fondée par Romulus (754 av. J.-C.), reçut des rois plusieurs enceintes successives.
7. *Les portes de Janus* : ouvertes en temps de guerre, elles furent exceptionnellement fermées en 235 av. J.-C., après la première guerre punique.
8. *Le second de ses rois* : Numa, roi pacifique, au pouvoir de 715 à 672 av. J.-C., fit fermer le temple de Janus.

Michel Vitold (Auguste) et Marcel Bozonnet (Cinna).
Mise en scène de Jean-Marie Villégier. Comédie-Française, 1984.

MAXIME

Les changements d'État que fait l'ordre céleste
Ne coûtent point de sang, n'ont rien qui soit funeste.

CINNA

C'est un ordre des dieux qui jamais ne se rompt[1],
560 De nous vendre un peu cher les grands biens qu'ils nous [font.
L'exil des Tarquins[2] même ensanglanta nos terres,
Et nos premiers consuls nous ont coûté des guerres.

MAXIME

Donc votre aïeul Pompée au ciel a résisté
Quand il a combattu pour notre liberté ?

CINNA

565 Si le ciel n'eût voulu que Rome l'eût perdue,
Par les mains de Pompée il l'aurait défendue :
Il[3] a choisi sa mort pour servir[4] dignement
D'une marque éternelle à ce grand changement,
Et devait cette gloire aux mânes d'un tel homme,
570 D'emporter avec eux la liberté de Rome.
Ce nom[5] depuis longtemps ne sert qu'à l'éblouir[6],
Et sa propre grandeur l'empêche d'en jouir.
Depuis qu'elle se voit la maîtresse du monde,
Depuis que la richesse entre ses murs abonde,
575 Et que son sein, fécond en glorieux exploits,
Produit des citoyens plus puissants que des rois,
Les grands, pour s'affermir achetant les suffrages[7],

1. *Ne se rompt* : n'est rompu.
2. *L'exil des Tarquins* : en 509 av. J.-C., Tarquin le Superbe et sa famille furent chassés de Rome. La république fut proclamée, mais Rome dut faire la guerre aux Étrusques, qui soutenaient Tarquin.
3. *Il* : le ciel.
4. *Pour servir* : pour qu'il serve.
5. *Ce nom* : de liberté.
6. *L'éblouir* : éblouir Rome.
7. *Les suffrages* : les votes, achetés par de l'argent.

Tiennent pompeusement leurs maîtres à leurs gages,
Qui, par des fers dorés se laissant enchaîner,
580 Reçoivent d'eux les lois qu'ils pensent leur donner.
Envieux l'un de l'autre, ils mènent tout par brigues,
Que leur ambition tourne en sanglantes ligues.
Ainsi de Marius Sylla[1] devint jaloux ;
César, de mon aïeul[2] ; Marc Antoine[3], de vous ;
585 Ainsi la liberté ne peut plus être utile
Qu'à former les fureurs d'une guerre civile,
Lorsque, par un désordre à l'univers fatal,
L'un ne veut point de maître, et l'autre point d'égal[4].
Seigneur, pour sauver Rome, il faut qu'elle s'unisse
590 En la main d'un bon chef à qui tout obéisse.
Si vous aimez encore à la favoriser,
Ôtez-lui les moyens[5] de se plus diviser.
Sylla, quittant la place enfin bien usurpée[6],
N'a fait qu'ouvrir le champ à César et Pompée,
595 Que le malheur des temps ne nous eût pas fait voir,
S'il eût dans sa famille assuré son pouvoir.
Qu'a fait du grand César le cruel parricide,
Qu'élever[7] contre vous Antoine avec Lépide,
Qui n'eussent pas détruit Rome par les Romains,
600 Si César eût laissé l'empire entre vos mains ?
Vous la replongerez, en quittant cet empire,
Dans les maux dont à peine encore elle respire,
Et de ce peu, Seigneur, qui lui reste de sang
Une guerre nouvelle épuisera son flanc.

---

1. *Marius Sylla* : voir vers 377.
2. *Mon aïeul* : Pompée.
3. *Marc Antoine* : voir vers 171.
4. *L'un ne veut... point d'égal* : imitation du poète latin Lucain (39-65 apr. J.-C.) : « César ne peut plus supporter un supérieur, Pompée un égal » (*Pharsale*, I, 125).
5. *Ôtez-lui les moyens* : empêchez-la.
6. *Enfin... usurpée* : à la fin (ou « après tout ») solidement occupée.
7. *Qu'élever* : sinon élever.

605 Que l'amour du pays, que la pitié vous touche ;
Votre Rome à genoux vous parle par ma bouche.
Considérez le prix que vous avez coûté :
Non pas qu'elle vous croie avoir trop acheté[1] ;
Des maux qu'elle a soufferts elle est trop bien payée,
610 Mais une juste peur tient son âme effrayée :
Si, jaloux de son heur[2] et las de commander,
Vous lui rendez un bien qu'elle ne peut garder,
S'il lui faut à ce prix en acheter un autre[3],
Si vous ne préférez son intérêt au vôtre,
615 Si ce funeste don la met au désespoir,
Je n'ose dire ici ce que j'ose[4] prévoir.
Conservez-vous, Seigneur, en lui laissant un maître
Sous qui son vrai bonheur commence de renaître ;
Et pour mieux assurer le bien commun de tous,
620 Donnez un successeur qui soit digne de vous.

AUGUSTE

N'en délibérons plus, cette pitié l'emporte.
Mon repos m'est bien cher, mais Rome est la plus forte ;
Et quelque grand malheur qui m'en puisse arriver,
Je consens à me perdre afin de la sauver.
625 Pour ma tranquillité mon cœur en vain soupire :
Cinna, par vos conseils je retiendrai[5] l'empire ;
Mais je le retiendrai pour vous en faire part.
Je vois trop que vos cœurs n'ont point pour moi de fard,
Et que chacun de vous, dans l'avis qu'il me donne,
630 Regarde seulement l'État et ma personne.
Votre amour en tous deux fait ce combat d'esprits[6]
Et vous allez tous deux en recevoir le prix.

---

1. *Non pas... acheté :* non qu'elle croie vous avoir acheté trop cher.
2. *Heur :* bonheur.
3. *Un autre :* un autre maître.
4. *J'ose :* remarquer la répétition.
5. *Je retiendrai :* je garderai.
6. *Votre amour... ce combat d'esprits :* c'est votre amour pour moi qui crée vos divergences d'idées.

Maxime, je vous fais gouverneur de Sicile[1] ;
Allez donner mes lois à ce terroir[2] fertile ;
635 Songez que c'est pour moi que vous gouvernerez,
Et que je répondrai de ce que vous ferez.
Pour épouse, Cinna, je vous donne Émilie :
Vous savez qu'elle tient la place de Julie[3],
Et que si nos malheurs et la nécessité
640 M'ont fait traiter son père[4] avec sévérité,
Mon épargne depuis en sa faveur ouverte
Doit avoir adouci l'aigreur de cette perte.
Voyez-la de ma part, tâchez de la gagner :
Vous n'êtes point pour elle un homme à dédaigner ;
645 De l'offre de vos vœux elle sera ravie.
Adieu : j'en veux porter la nouvelle à Livie.

---

1. *Sicile :* province romaine depuis la deuxième guerre punique, un des greniers à blé de Rome.
2. *Terroir :* territoire.
3. *Julie :* fille du premier mariage d'Auguste avec Scribonia ; elle fut exilée par son père en raison de sa conduite scandaleuse.
4. *Son père :* Toranius ; voir vers 11.

Acte II Scène 1

LA TIRADE D'AUGUSTE (v. 355-404)

1. Relevez les cinq parties de cette tirade.
2. Dégagez les divers sentiments d'Auguste.
3. En quoi les vers 373-374 sont-ils la clef du drame d'Auguste ?
4. Étudiez les figures de rhétorique (voir p. 204) : cette maîtrise du langage traduit-elle, ou non, une maîtrise de soi ?
5. Rapprochez Auguste d'Horace, à l'acte V d'*Horace*.
6. L'effet sur le spectateur : comparez l'Auguste de cette tirade au tyran évoqué à l'acte I.

LA TIRADE DE CINNA (v. 405-442)

7. 1re partie : étudiez dans le langage la part de l'hésitation et la part de la flatterie.
8. 2e partie : mettez en évidence le thème de la légitimité du pouvoir.
9. Expliquez l'argumentation de la 3e partie.
10. Conclusion. Dégagez l'ambiguïté du vers 440. À qui s'adresse le vers 442 ?
11. Cinna vous semble-t-il sincère, ou hypocrite ?

LA TIRADE DE MAXIME (v. 443-498)

12. 1re partie : à qui Maxime répond-il ? Pourquoi ? Montrez que les vers 444-450 s'opposent directement à certains vers de Cinna.
13. 2e partie : étudiez les images de la possession et de l'esclavage. Le vers 457 a-t-il une chance de convaincre Auguste ?
14. 3e partie : analysez les images du don ; sont-elles habiles ? Analysez également le vocabulaire de la gloire.
15. Montrez comment, dans la 4e partie, le vocabulaire traduit les idées républicaines de Maxime.
16. Conclusion : opposez les vers 495-498 aux vers 439-441 ; comment apparaît Maxime à travers ses premières paroles sur scène ?

DISCUSSION DE DEUX THÈSES OPPOSÉES

17. Dans les vers 449-521, étudiez la critique de la liberté et la critique du régime populaire, fréquente chez Corneille.

18. Quel est l'intérêt de l'intervention d'Auguste (v. 522-525) ?

19. Dans les vers 526-544, analysez l'argument de la coutume, l'argument de la théorie des climats, le style ampoulé.

20. Montrez comment, à l'argument de Maxime portant sur la diversité des lieux, Cinna répond par un argument fondé sur le temps (v. 545-556).

21. Quel est le nouvel argument discuté aux vers 557-564 ?

22. Dans les vers 565-620, étudiez la nouvelle analyse de la liberté et les images de l'esclavage ; l'analyse de l'unité autour du chef ; l'appel à la pitié, et les métaphores du coût et de l'achat. Expliquez l'importance du vers 607.

LA DÉCISION D'AUGUSTE

23. Comment Auguste justifie-t-il sa décision ? Par quels mots voyons-nous qu'il a repris possession de lui-même ?

24. Analysez la générosité d'Auguste et ses sentiments pour Émilie.

LES PERSONNAGES ET L'ANALYSE POLITIQUE

25. Cinna est-il hypocrite, ou se met-il à croire à ce qu'il dit ? Peut-on penser que la logique de ses arguments traduit en fait une pensée politique mûrie, et non improvisée ?

26. Étudiez le républicain Maxime, parleur verbeux, irrité par Cinna, dont il est peut-être déjà jaloux.

27. Analysez la crise d'Auguste et la façon dont il la domine.

28. L'analyse politique est très intéressante. Commentez la remarque de Voltaire : « Cette scène est un traité du droit des gens [...] et jamais écrivain n'avait étalé des idées politiques en prose aussi fortement que Corneille les approfondit en vers. »

SCÈNE 2. CINNA, MAXIME.

MAXIME

Quel est votre dessein après ces beaux discours ?

CINNA

Le même que j'avais, et que j'aurai toujours.

MAXIME

Un chef de conjurés flatte la tyrannie !

CINNA

650 Un chef de conjurés la veut voir impunie !

MAXIME

Je veux voir Rome libre.

CINNA

Et vous pouvez juger
Que je veux l'affranchir ensemble[1] et la venger.
Octave aura donc vu ses fureurs assouvies[2],
Pillé jusqu'aux autels, sacrifié nos vies,
655 Rempli les champs d'horreur, comblé Rome de morts,
Et sera quitte après pour l'effet[3] d'un remords !
Quand le ciel par nos mains à le punir s'apprête,
Un lâche repentir garantira sa tête !
C'est trop semer d'appâts, et c'est trop inviter
660 Par son impunité quelque autre à l'imiter.
Vengeons nos citoyens[4] et que sa peine étonne
Quiconque après sa mort aspire à la couronne.
Que le peuple aux tyrans ne soit plus exposé :
S'il[5] eût puni Sylla, César eût moins osé.

---

1. *Ensemble* : en même temps.
2. *Octave... assouvies* : variante : « Auguste aura soûlé ses damnables envies » (v. 1643-1656).
3. *Pour l'effet* : à cause.
4. *Citoyens* : concitoyens (latinisme).
5. *Il* : le peuple.

MAXIME

665 Mais la mort de César, que vous trouvez si juste,
A servi de prétexte aux cruautés d'Auguste.
Voulant nous affranchir, Brute s'est abusé[1] :
S'il n'eût puni César, Auguste eût moins osé.

CINNA

La faute de Cassie[2] et ses terreurs paniques
670 Ont fait rentrer l'État sous des lois tyranniques ;
Mais nous ne verrons point de pareils accidents,
Lorsque Rome suivra des chefs moins imprudents.

MAXIME

Nous sommes encor loin de mettre en évidence
Si nous nous conduirons avec plus de prudence ;
675 Cependant c'en est peu que de n'accepter pas
Le bonheur qu'on recherche au péril du trépas.

CINNA

C'en est encor bien moins, alors qu'on s'imagine
Guérir un mal si grand sans couper la racine ;
Employer la douceur à cette guérison,
680 C'est, en fermant la plaie, y verser du poison.

MAXIME

Vous la[3] voulez sanglante, et la rendez douteuse.

CINNA

Vous la voulez sans peine, et la rendez honteuse.

MAXIME

Pour sortir de ses fers jamais on ne rougit.

---

1. *S'est abusé :* s'est trompé.
2. *Cassie :* voir vers 265 ; à la bataille de Philippes (42 av. J.-C.), Cassius, battu par Antoine, se fit donner la mort, ignorant que l'armée de Brutus l'emportait sur Octave.
3. *La :* la guérison.

Cinna (Marcel Bozonnet) et Maxime (Jean-Yves Dubois).
Mise en scène de Jean-Marie Villégier. Comédie-Française, 1984.

CINNA

On en sort lâchement, si la vertu n'agit.

MAXIME

685 Jamais la liberté ne cesse d'être aimable ;
Et c'est toujours pour Rome un bien inestimable.

CINNA

Ce ne peut être un bien qu'elle daigne estimer,
Quand il vient d'une main lasse de l'opprimer :
Elle a le cœur trop bon[1] pour se voir avec joie
690 Le rebut du tyran dont elle fut la proie ;
Et tout ce que la gloire a de vrais partisans
Le hait trop puissamment pour aimer ses présents.

MAXIME

Donc pour vous Émilie est un objet de haine ?

CINNA

La recevoir de lui me serait une gêne.
695 Mais quand j'aurai vengé Rome des maux soufferts,
Je saurai le braver jusque dans les enfers.
Oui, quand par son trépas je l'aurai méritée,
Je veux joindre à sa main ma main ensanglantée,
L'épouser sur sa cendre, et qu'après notre effort
700 Les présents du tyran soient le prix de sa mort.

MAXIME

Mais l'apparence, ami, que vous puissiez lui plaire
Teint du sang de celui qu'elle aime comme un père ?
Car vous n'êtes pas homme à la violenter.

CINNA

Ami, dans ce palais, on peut nous écouter,
705 Et nous parlons peut-être avec trop d'imprudence
Dans un lieu si mal propre à notre confidence.
Sortons ; qu'en sûreté j'examine avec vous,
Pour en[2] venir à bout, les moyens les plus doux.

---

1. *Bon* : généreux.
2. *En* : des difficultés que pourrait faire Émilie.

Acte II Scène 2

COMMENTAIRE LINÉAIRE

1. Cette explication est attendue du public. Dans quel esprit se déroule-t-elle entre les deux hommes ? Sur quel ton sont prononcés les « ami » des vers 701 et 704 ?

2. Étudiez successivement les répliques vers par vers, l'ironie et l'indignation dans les vers 647-651, le vocabulaire de la vengeance et de l'honneur chez Cinna, le parallélisme des vers 664 et 668, les images dans le style de Cinna (v. 652-680) ; la vivacité des répliques, ainsi que le vocabulaire de la liberté et de l'esclavage ; enfin la façon dont, par deux fois, Maxime oblige Cinna à dévoiler ses sentiments pour Émilie.

3. Les arguments de Maxime avaient été éclipsés par ceux de Cinna dans la scène précédente. Montrez comment Maxime reprend ici l'initiative et se montre habile.

4. Les vers 694-700 donnent la clef de l'attitude de Cinna. Dans ces conditions, comment interpréter les vers 651-664 ? Sont-ils totalement sincères, ou sont-ils déjà de fausses raisons avancées pour tromper Maxime ?

5. Commentez l'opinion de Charles Dullin : « La scène commence sur un ton assourdi, grave. Elle va s'élever peu à peu dans la violence et la passion, car Maxime maintenant non seulement se méfie de Cinna, mais commence à sentir les brûlures de la jalousie. »

Questions sur l'ensemble de l'acte II

L'ACTION

1. L'intérêt dramatique a changé. Voltaire remarque : « Ici, l'intérêt change. On détestait Auguste ; on s'intéressait beaucoup à Cinna : maintenant, c'est Cinna qu'on hait, c'est en faveur d'Auguste que le cœur se déclare. » Cette réflexion ne demande-t-elle pas à être nuancée ? Justifiez votre réponse.

2. L'action a progressé. En quoi ? La scène 1 de l'acte II est très longue, composée de discours ; la trouvez-vous trop statique ? En quoi fait-elle progresser l'action ?

LES PERSONNAGES

3. Faites un bilan du personnage d'Auguste à la fin de l'acte II.

4. Le personnage de Cinna est très contesté à partir de l'acte II. Certains critiques, parmi lesquels La Harpe (1739-1803), jugent son rôle « essentiellement vicieux, en ce qu'il manque, à la fois, et d'unité de caractère, et de vraisemblance morale ». Partagez-vous cette opinion ? La cohérence du personnage ne peut-elle pas cependant être sauvegardée par la brusque admiration qu'il éprouverait pour Auguste ?

5. Maxime est un personnage nouveau. Quels éléments laissent présager son attitude à l'acte III ?

Acte III

Dans l'appartement d'Émilie.

SCÈNE PREMIÈRE. MAXIME, EUPHORBE.

MAXIME

Lui-même il m'a tout dit : leur flamme est mutuelle ;
710 Il adore Émilie, il est adoré d'elle ;
Mais sans venger son père il n'y peut aspirer[1] ;
Et c'est pour l'acquérir qu'il nous fait conspirer.

EUPHORBE

Je ne m'étonne plus de cette violence
Dont[2] il contraint Auguste à garder sa puissance :
715 La ligue se romprait s'il s'en était démis[3],
Et tous vos conjurés deviendraient ses amis.

MAXIME

Ils servent à l'envi la passion d'un homme
Qui n'agit que pour soi, feignant d'agir pour Rome ;
Et moi, par un malheur qui n'eut jamais d'égal,
720 Je pense servir Rome, et je sers mon rival.

EUPHORBE

Vous êtes son rival ?

MAXIME

Oui, j'aime sa maîtresse,
Et l'ai caché toujours avec assez d'adresse ;
Mon ardeur inconnue, avant que d'éclater,
Par quelque grand exploit la voulait mériter :

---

1. *Il... aspirer* : il ne peut aspirer à son amour.
2. *Dont* : avec laquelle.
3. *S'il... démis* : si Auguste avait démissionné de sa puissance.

725 Cependant par mes mains je vois qu'il me l'enlève ;
Son dessein fait ma perte, et c'est moi qui l'achève[1] ;
J'avance[2] des succès dont j'attends le trépas,
Et pour m'assassiner je lui prête mon bras.
Que l'amitié me plonge en un malheur extrême !

EUPHORBE

730 L'issue en est aisée : agissez pour vous-même ;
D'un dessein qui vous perd rompez le coup fatal ;
Gagnez une maîtresse, accusant un rival.
Auguste, à qui par là vous sauverez la vie,
Ne vous pourra jamais refuser Émilie.

MAXIME

735 Quoi ? trahir mon ami !

EUPHORBE

L'amour rend tout permis ;
Un véritable amant ne connaît point d'amis,
Et même avec justice on peut trahir un traître
Qui pour une maîtresse ose trahir son maître :
Oubliez l'amitié, comme lui les bienfaits.

MAXIME

740 C'est un exemple à fuir que celui des forfaits.

EUPHORBE

Contre un si noir dessein tout devient légitime :
On n'est point criminel quand on punit un crime.

MAXIME

Un crime par qui[3] Rome obtient sa liberté !

EUPHORBE

Craignez tout d'un esprit si plein de lâcheté.
745 L'intérêt du pays n'est point ce qui l'engage ;

---

1. *L'achève :* achève son dessein.
2. *J'avance :* je fais avancer.
3. *Par qui :* par lequel.

Le sien, et non la gloire, anime son courage :
Il aimerait César, s'il n'était amoureux,
Et n'est enfin qu'ingrat, et non pas généreux.
Pensez-vous avoir lu jusqu'au fond de son âme ?
750 Sous la cause publique il vous cachait sa flamme,
Et peut cacher encor sous cette passion
Les détestables feux de son ambition.
Peut-être qu'il prétend, après la mort d'Octave,
Au lieu d'affranchir Rome, en[1] faire son esclave,
755 Qu'il vous compte déjà pour un de ses sujets,
Ou que sur votre perte il fonde ses projets.

MAXIME

Mais comment l'accuser sans nommer tout le reste ?
À tous nos conjurés l'avis[2] serait funeste,
Et par là nous verrions indignement trahis
760 Ceux qu'engage avec nous le seul bien du pays.
D'un si lâche dessein mon âme est incapable :
Il perd trop d'innocents pour punir un coupable.
J'ose tout contre lui, mais je crains tout pour eux.

EUPHORBE

Auguste s'est lassé d'être si rigoureux ;
765 En ces occasions, ennuyé[3] de supplices,
Ayant puni les chefs, il pardonne aux complices.
Si toutefois pour eux vous craignez son courroux,
Quand vous lui parlerez, parlez au nom de tous.

MAXIME

Nous disputons[4] en vain, et ce n'est que folie
770 De vouloir par sa[5] perte acquérir Émilie :
Ce n'est pas le moyen de plaire à ses beaux yeux
Que de priver du jour ce qu'elle aime le mieux.

1. *En* : de Rome.
2. *L'avis* : la dénonciation.
3. *Ennuyé* : dégoûté.
4. *Disputons* : discutons.
5. *Sa* : de Cinna (la perte de Cinna).

Pour moi j'estime peu qu'Auguste me la donne :
Je veux gagner son cœur plutôt que sa personne,
775 Et ne fais point d'état[1] de sa possession,
Si je n'ai point de part à son affection.
Puis-je la mériter par une triple offense ?
Je trahis son amant, je détruis sa vengeance,
Je conserve le sang[2] qu'elle veut voir périr ;
780 Et j'aurais quelque espoir qu'elle me pût chérir ?

EUPHORBE

C'est ce qu'à dire vrai je vois fort difficile.
L'artifice[3] pourtant vous y peut être utile ;
Il en faut trouver un qui la puisse abuser,
Et du reste le temps en pourra disposer.

MAXIME

785 Mais si pour s'excuser[4] il nomme sa complice,
S'il arrive qu'Auguste avec lui la punisse,
Puis-je lui demander, pour prix de mon rapport[5],
Celle qui nous oblige à conspirer[6] sa mort ?

EUPHORBE

Vous pourriez m'opposer tant et de tels obstacles
790 Que pour les surmonter il faudrait des miracles ;
J'espère, toutefois, qu'à force d'y rêver...

MAXIME

Éloigne-toi ; dans peu j'irai te retrouver :
Cinna vient[7], et je veux en tirer quelque chose,
Pour mieux résoudre après ce que je me propose.

---

1. *Point d'état* : point de cas.
2. *Le sang* : la vie ; « périr un sang est un barbarisme », remarquait Voltaire.
3. *L'artifice* : la ruse.
4. *S'excuser* : se trouver une excuse, se mettre hors de cause.
5. *Rapport* : dénonciation.
6. *Conspirer* : employé transitivement au XVIIe siècle.
7. *Cinna vient* : annonce de la scène suivante.

SCÈNE 2. CINNA, MAXIME.

MAXIME

795 Vous me semblez pensif.

CINNA

Ce n'est pas sans sujet.

MAXIME

Puis-je d'un tel chagrin savoir quel est l'objet ?

CINNA

Émilie et César, l'un et l'autre me gêne :
L'un me semble trop bon, l'autre trop inhumaine.
Plût aux dieux que César employât mieux ses soins,
800 Et s'en[1] fît plus aimer, ou m'aimât un peu moins ;
Que sa bonté touchât la beauté[2] qui me charme,
Et la pût adoucir comme elle me désarme !
Je sens au fond du cœur mille remords cuisants,
Qui rendent à mes yeux tous ses bienfaits présents ;
805 Cette faveur si pleine, et si mal reconnue,
Par un mortel reproche à tous moments me tue.
Il me semble surtout incessamment[3] le voir
Déposer en nos mains son absolu pouvoir,
Écouter nos avis, m'applaudir et me dire :
810 « Cinna, par vos conseils, je retiendrai[4] l'empire :
Mais je le retiendrai pour vous en faire part » ;
Et je puis[5] dans son sein enfoncer un poignard !
Ah ! plutôt... Mais, hélas ! j'idolâtre Émilie ;
Un serment exécrable à sa haine me lie ;

---

1. *En* : Émilie.
2. *Beauté* : femme aimée (langage galant) ; paronomase entre « beauté » et « bonté » (voir p. 206).
3. *Incessamment* : sans cesse.
4. *Retiendrai* : garderai ; reprise des vers 626-627.
5. *Je puis* : je pourrais.

815 L'horreur qu'elle a de lui me le rend odieux :
Des deux côtés j'offense et ma gloire et les dieux ;
Je deviens sacrilège, ou je suis parricide,
Et vers[1] l'un ou vers l'autre il faut être perfide.

MAXIME

Vous n'aviez point tantôt ces agitations ;
820 Vous paraissiez plus ferme en vos intentions ;
Vous ne sentiez au cœur ni remords ni reproche.

CINNA

On ne les sent aussi que quand le coup approche,
Et l'on ne reconnaît[2] de semblables forfaits
Que quand la main s'apprête à venir aux effets.
825 L'âme, de son dessein jusque-là possédée,
S'attache aveuglément à sa première idée ;
Mais alors quel esprit n'en devient point troublé ?
Ou plutôt quel esprit n'en est point accablé ?
Je crois que Brute même, à tel point[3] qu'on le prise[4],
830 Voulut plus d'une fois rompre[5] son entreprise,
Qu'avant que de frapper, elle lui fit sentir
Plus d'un remords en l'âme, et plus d'un repentir.

MAXIME

Il eut trop de vertu pour tant d'inquiétude ;
Il ne soupçonna point sa main d'ingratitude,
835 Et fut contre un tyran d'autant plus animé
Qu'il en reçut de biens et qu'il s'en vit aimé[6].
Comme vous l'imitez, faites la même chose,
Et formez vos remords d'une plus juste cause,
De vos lâches conseils, qui seuls ont arrêté

---

1. *Vers :* envers.
2. *Reconnaît :* comprend la nature de.
3. *À tel point :* à quelque point.
4. *Prise :* estime.
5. *Rompre :* interrompre.
6. *Qu'il... aimé :* qu'il en reçut plus de biens et qu'il s'en vit plus aimé (proportion inverse).

840 Le bonheur renaissant de notre liberté.
C'est vous seul aujourd'hui qui nous l'avez ôtée ;
De la main de César Brute l'eût acceptée,
Et n'eût jamais souffert qu'un intérêt léger
De vengeance ou d'amour l'eût remise en danger.
845 N'écoutez plus la voix d'un tyran qui vous aime,
Et vous veut faire part[1] de son pouvoir suprême ;
Mais entendez crier Rome à votre côté :
« Rends-moi, rends-moi, Cinna, ce que tu m'as ôté ;
Et si tu m'as tantôt préféré ta maîtresse,
850 Ne me préfère pas le tyran qui m'oppresse[2]. »

CINNA

Ami, n'accable plus un esprit malheureux
Qui ne forme qu'en lâche un dessein généreux.
Envers nos citoyens je sais quelle est ma faute,
Et leur rendrai bientôt tout ce que je leur ôte ;
855 Mais pardonne aux abois[3] d'une vieille amitié,
Qui ne peut expirer sans me faire pitié,
Et laisse-moi, de grâce, attendant Émilie,
Donner un libre cours à ma mélancolie.
Mon chagrin t'importune, et le trouble où je suis
860 Veut de la solitude à calmer[4] tant d'ennuis.

MAXIME

Vous voulez rendre compte à l'objet qui vous blesse[5]
De la bonté d'Octave et de votre faiblesse ;
L'entretien des amants veut un entier secret.
Adieu : je me retire en confident discret.

---

1. *Vous veut... part :* veut vous faire partager.
2. *Oppresse :* opprime.
3. *Abois :* derniers moments, comme ceux du cerf poursuivi par les chiens.
4. *À calmer :* pour calmer.
5. *L'objet qui vous blesse :* Émilie (style précieux).

Acte III Scènes 1 et 2

LA STRUCTURE DE LA SCÈNE 1

1. Vers 709-729 : comment se traduit l'indignation de Maxime à l'égard de Cinna ? Quels sont ses sentiments successifs ?

2. Quel est le conseil donné par Euphorbe aux vers 730-756 ? Comment réagit Maxime ?

3. Vers 756-768 : quels vers montrent que Maxime commence à accepter les idées d'Euphorbe ?

4. Vers 769-784 : quelle est la nouvelle objection de Maxime ? Euphorbe la trouve-t-elle valable ?

5. Vers 785-794 : Maxime a-t-il définitivement accepté le conseil d'Euphorbe ? Justifiez votre réponse.

6. L'intérêt dramatique : en quoi cette scène est-elle nécessaire à l'action de la pièce ?

LES PERSONNAGES

7. Étudiez le cynisme du personnage d'Euphorbe dans les vers 730-742 ; dans les vers 744-756, faites la part des analyses parfaitement justes d'Euphorbe, et des insinuations fausses. Que pensez-vous de l'accusation de lâcheté portée contre Cinna ? Le jugement porté plus loin, dans les vers 1409-1410, vous paraît-il juste ?

8. Comment Maxime se laisse-t-il manipuler par Euphorbe (sc. 1) ? Par quels sentiments ? Commentez la phrase de Dullin : « Ce caractère n'est logique que si l'acteur exprime vraiment cette lutte intérieure où l'homme probe, droit, loyal qu'était Maxime devient fourbe par passion. »

VOCABULAIRE ET STYLE

9. Étudiez dans la scène 1 le vocabulaire de la trahison en montrant que chaque personnage interprète à sa manière l'idée de trahison.

10. Voici quelques variantes des éditions de 1643-1656 :
« Ils servent abusés la passion d'un homme » (v. 717).
« Un exemple à faillir n'autorise jamais.
Sa faute contre lui vous rend tout légitime » (v.741-742).
Le texte définitif paraît-il supérieur ? Si oui, en quoi ?

ANALYSE SUIVIE

11. Vers 795-818 : dégagez les trois parties de la tirade. Les sentiments de Cinna pour Auguste ne sont-ils pas presque ceux d'un fils pour un père ? Montrez que cette tirade peut expliquer l'attitude de Cinna face à Auguste à l'acte II, scène 1. Que pense Cinna de son esclavage amoureux ?

12. Vers 819-832 : comment se traduit l'ironie de Maxime ? En quoi les vers 822-828 dépeignent-ils parfaitement le caractère de Cinna ? Pourquoi l'exemple de Brutus revient-il si souvent dans la pièce (v. 265, 438, 667, 829) ?

13. Vers 833-850 : faites le plan de la tirade de Maxime. Montrez la logique de son argumentation. Est-il vraisemblable que Maxime accable Cinna de reproches, alors qu'il s'apprête à le trahir ?

14. Vers 851-864 : relevez les termes forts traduisant la douleur de Cinna. Analysez le vers 852. Avec le vers 854 Cinna prend-il une résolution ?

15. Les personnages de la scène : quel est le personnage principal de la scène ? Étudiez Cinna en tant que personnage romanesque. Montrez l'ambiguïté de l'attitude de Maxime.

16. Cette scène est-elle nécessaire à l'action ? Justifiez votre réponse.

SCÈNE 3. CINNA.

865 Donne[1] un plus digne nom au glorieux empire[2]
Du noble sentiment[3] que la vertu m'inspire,
Et que l'honneur oppose au coup précipité
De mon ingratitude et de ma lâcheté ;
Mais plutôt continue à le[4] nommer faiblesse,
870 Puisqu'il devient si faible auprès d'une maîtresse,
Qu'il respecte un amour qu'il devrait étouffer,
Ou que, s'il le combat, il n'ose en triompher.
En ces extrémités, quel conseil dois-je prendre ?
De quel côté pencher ? à quel parti me rendre ?
875 Qu'une âme généreuse a de peine à faillir !
Quelque fruit que par là j'espère de cueillir[5],
Les douceurs de l'amour, celles de la vengeance,
La gloire d'affranchir le lieu de ma naissance,
N'ont point assez d'appas pour flatter ma raison,
880 S'il les faut acquérir par une trahison,
S'il faut percer le flanc d'un prince magnanime
Qui du peu que je suis fait une telle estime,
Qui me comble d'honneurs, qui m'accable de biens,
Qui ne prend pour régner de conseils que les miens.
885 Ô coup ! ô trahison trop indigne d'un homme !
Dure[6], dure à jamais l'esclavage de Rome !
Périsse mon amour, périsse mon espoir,
Plutôt que de ma main parte un crime si noir !
Quoi ? ne m'offre-t-il pas tout ce que je souhaite,

---

1. *Donne :* s'adresse à Maxime, qui vient de partir.
2. *Empire :* pouvoir.
3. *Noble sentiment :* Maxime l'avait appelé « faiblesse » (vers 862).
4. *Le :* l'empire.
5. *J'espère de cueillir :* j'espère cueillir (voir p. 187).
6. *Dure :* que dure (subjonctif de souhait).

890 Et qu'au prix de son sang ma passion achète ?
Pour jouir de ses dons faut-il l'assassiner ?
Et faut-il lui ravir ce qu'il me veut donner ?
Mais je dépends de vous, ô serment téméraire,
Ô haine d'Émilie, ô souvenir d'un père[1] !
895 Ma foi[2], mon cœur, mon bras, tout vous est engagé,
Et je ne puis plus rien que par votre congé[3] :
C'est à vous à régler ce qu'il faut que je fasse ;
C'est à vous, Émilie, à lui[4] donner sa grâce ;
Vos seules volontés président à son sort,
900 Et tiennent en mes mains[5] et sa vie et sa mort.
Ô dieux, qui comme vous la rendez adorable,
Rendez-la, comme vous, à mes vœux exorable[6] ;
Et puisque de ses lois je ne puis m'affranchir,
Faites qu'à mes désirs je la puisse fléchir.
905 Mais voici de retour cette aimable inhumaine[7].

SCÈNE 4. ÉMILIE, CINNA, FULVIE.

ÉMILIE

Grâces aux dieux, Cinna, ma frayeur était vaine :
Aucun de tes amis ne t'a manqué de foi[8],
Et je n'ai point eu lieu de m'employer pour toi.

---

1. *Père* : Toranius, tué par Octave.
2. *Foi* : parole donnée.
3. *Congé* : permission.
4. *Lui* : Auguste.
5. *Mains* : elles symbolisent l'action de Cinna, alors que la décision (« volontés ») vient d'Émilie ; noter le jeu des possessifs.
6. *Exorable* : accessible à mes prières.
7. *Aimable inhumaine* : alliance de mots de style précieux.
8. *Foi* : fidélité ; c'est la réponse au vers 290.

Octave en ma présence a tout dit à Livie,
910 Et par cette nouvelle il m'a rendu la vie.

CINNA

Le désavouerez-vous, et du don[1] qu'il me fait
Voudrez-vous retarder le bienheureux effet ?

ÉMILIE

L'effet est en ta main.

CINNA

Mais plutôt en la vôtre[2].

ÉMILIE

Je suis toujours moi-même, et mon cœur n'est point autre :
915 Me donner à Cinna, c'est ne lui donner rien,
C'est seulement lui faire un présent de son bien.

CINNA

Vous pouvez toutefois... ô ciel ! l'osé-je dire ?

ÉMILIE

Que puis-je ? et que crains-tu ?

CINNA

Je tremble, je soupire,
Et vois que si nos cœurs avaient mêmes désirs[3],
920 Je n'aurais pas besoin d'expliquer mes soupirs.
Ainsi je suis trop sûr que je vais vous déplaire ;
Mais je n'ose parler, et je ne puis me taire.

ÉMILIE

C'est trop me gêner, parle.

CINNA

Il faut vous obéir.

---

1. *Don* : Émilie ; voir vers 638.
2. *La vôtre* : le vouvoiement de Cinna s'oppose au tutoiement énergique d'Émilie.
3. *Mêmes désirs* : les mêmes désirs (voir p. 188).

Je vais donc vous déplaire, et vous m'allez haïr.
925 Je vous aime, Émilie, et le ciel me foudroie[1]
Si cette passion ne fait toute ma joie,
Et si je ne vous aime avec toute l'ardeur
Que peut un digne objet attendre d'un grand cœur !
Mais voyez à quel prix vous me donnez votre âme :
930 En me rendant heureux, vous me rendez infâme ;
Cette bonté d'Auguste...

ÉMILIE

Il suffit, je t'entends[2] ;
Je vois ton repentir et tes vœux inconstants :
Les faveurs du tyran emportent[3] tes promesses,
Tes feux et tes serments cèdent à ses caresses,
935 Et ton esprit crédule ose s'imaginer
Qu'Auguste, pouvant tout, peut aussi me donner.
Tu me veux de sa main plutôt que de la mienne ;
Mais ne crois pas qu'ainsi jamais je t'appartienne :
Il peut faire trembler la terre sous ses pas,
940 Mettre un roi hors du trône et donner ses États,
De ses proscriptions rougir la terre et l'onde[4],
Et changer à son gré l'ordre de tout le monde,
Mais le cœur d'Émilie est hors de son pouvoir.

CINNA

Aussi n'est-ce qu'à vous que je veux le devoir.
945 Je suis toujours moi-même[5], et ma foi toujours pure :
La pitié que je sens ne me rend point parjure :
J'obéis sans réserve à tous vos sentiments,

1. *Le ciel me foudroie :* que le ciel me foudroie (subjonctif de souhait, comme au vers 886).
2. *Je t'entends :* je te comprends.
3. *Emportent :* font disparaître.
4. *L'onde :* même rime avec le vers 942, que les vers 357-358.
5. *Toujours moi-même :* même expression qu'au vers 914 ; même idée déjà au vers 78.

Claude Mathieu (Émilie) et Marcel Bozonnet (Cinna).
Mise en scène de Jean-Marie Villégier. Comédie-Française, 1984.

Et prends vos intérêts par-delà mes serments[1].
J'ai pu[2], vous le savez, sans parjure et sans crime,
950 Vous laisser échapper cette illustre victime.
César, se dépouillant du pouvoir souverain,
Nous ôtait tout prétexte à lui percer le sein ;
La conjuration s'en allait dissipée[3],
Vos desseins avortés, votre haine trompée :
955 Moi seul j'ai raffermi son esprit étonné,
Et pour vous l'immoler ma main l'a couronné.

---

1. *Par-delà... serments* : plus que mes sentiments ne m'y obligent.
2. *J'ai pu* : j'aurais pu (latinisme).
3. *S'en allait dissipée* : allait être dissipée.

ÉMILIE

Pour me l'immoler, traître ! et tu veux que moi-même
Je retienne ta main ! qu'il vive, et que je l'aime !
Que je sois le butin de qui l'ose épargner,
960 Et le prix du conseil qui le force à régner !

CINNA

Ne me condamnez point quand je vous ai servie :
Sans moi, vous n'auriez plus de pouvoir sur sa vie ;
Et malgré ses bienfaits, je rends tout[1] à l'amour,
Quand je veux qu'il périsse ou vous doive le jour ;
965 Avec les premiers vœux de mon obéissance[2],
Souffrez ce faible effort de ma reconnaissance[3],
Que[4] je tâche de vaincre un indigne courroux,
Et vous donner pour lui l'amour qu'il a pour vous.
Une âme généreuse, et que la vertu guide,
970 Fuit la honte des noms d'ingrate et de perfide ;
Elle en hait l'infamie attachée au bonheur,
Et n'accepte aucun bien aux dépens de l'honneur.

ÉMILIE

Je fais gloire, pour moi, de cette ignominie :
La perfidie est noble envers la tyrannie ;
975 Et quand on rompt le cours d'un sort si malheureux,
Les cœurs les plus ingrats sont les plus généreux.

CINNA

Vous faites[5] des vertus au gré de votre haine.

ÉMILIE

Je me fais des vertus dignes d'une Romaine.

CINNA

Un cœur vraiment romain...

---

1. *Je rends tout* : j'accorde tout.
2. *Obéissance* : à votre égard.
3. *Reconnaissance* : à l'égard d'Auguste.
4. *Que* : souffrez que.
5. *Faites* : imaginez.

ÉMILIE

Ose tout pour ravir
980 Une odieuse vie à qui le fait servir[1] :
Il fuit plus que la mort la honte d'être esclave.

CINNA

C'est l'être avec honneur que de l'être d'Octave ;
Et nous voyons souvent des rois à nos genoux
Demander pour appui tels esclaves[2] que nous.
985 Il abaisse à nos pieds l'orgueil des diadèmes,
Il nous fait souverains sur leurs grandeurs suprêmes,
Il prend d'eux les tributs dont il nous enrichit
Et leur impose un joug dont il nous affranchit.

ÉMILIE

L'indigne ambition que ton cœur se propose !
990 Pour être[3] plus qu'un roi, tu te crois quelque chose !
Aux deux bouts de la terre en est-il un si vain
Qu'il prétende égaler un citoyen romain ?
Antoine sur sa tête attira notre haine
En se déshonorant par l'amour d'une reine[4] ;
995 Attale[5], ce grand roi, dans la pourpre blanchi,
Qui du peuple romain se nommait l'affranchi,
Quand[6] de toute l'Asie il se fût vu l'arbitre,
Eût encor moins prisé son trône que ce titre.
Souviens-toi de ton nom, soutiens sa dignité ;
1000 Et, prenant d'un Romain la générosité,
Sache qu'il n'en est point que le ciel n'ait fait naître
Pour commander aux rois et pour vivre sans maître.

---

1. *Servir* : être esclave.
2. *Tels esclaves* : de tels esclaves (voir p. 188).
3. *Pour être* : parce que tu es.
4. *Une reine* : Cléopâtre (69-30 av. J.-C.), qui séduisit Antoine.
5. *Attale* : Attale III, roi de Pergame de 138 à 133 av. J.-C., légua son royaume à Rome.
6. *Quand* : quand bien même.

CINNA

Le ciel a trop fait voir en de tels attentats
Qu'il hait les assassins et punit les ingrats ;
1005 Et quoi qu'on entreprenne, et quoi qu'on exécute,
Quand il élève un trône, il en venge la chute ;
Il se met du parti de ceux qu'il fait régner ;
Le coup dont on les tue est longtemps à saigner ;
Et quand à les punir il a pu se résoudre,
1010 De pareils châtiments n'appartiennent qu'au foudre[1].

ÉMILIE

Dis que de leur parti toi-même tu te rends,
De te remettre[2] au foudre à punir[3] les tyrans.
Je ne t'en parle plus, va, sers la tyrannie ;
Abandonne ton âme à son lâche génie[4] ;
1015 Et pour rendre le calme à ton esprit flottant,
Oublie et ta naissance et le prix qui t'attend.
Sans emprunter ta main pour servir ma colère,
Je saurai bien venger mon pays et mon père.
J'aurais déjà l'honneur d'un si fameux trépas,
1020 Si l'amour jusqu'ici n'eût arrêté mon bras :
C'est lui qui, sous tes lois me tenant asservie[5],
M'a fait en ta faveur prendre soin de ma vie.
Seule contre un tyran, en le faisant périr,
Par les mains de sa garde il me fallait mourir :
1025 Je t'eusse par ma mort dérobé ta captive ;
Et comme pour toi seul l'amour veut que je vive,
J'ai voulu, mais en vain, me conserver pour toi
Et te donner moyen[6] d'être digne de moi.

---

1. *Au foudre* : souvent masculin au XVIIᵉ siècle ; la foudre représente ici le châtiment du ciel.
2. *Te remettre* : t'en remettre.
3. *À punir* : pour punir.
4. *Génie* : caractère.
5. *Asservie* : vocabulaire précieux.
6. *Te donner moyen* : te donner le moyen ; voir vers 213.

Pardonnez-moi, grands dieux, si je me suis trompée
1030 Quand j'ai pensé chérir un neveu de Pompée,
Et si d'un faux semblant mon esprit abusé
A fait choix d'un esclave en son lieu supposé[1].
Je t'aime toutefois, quel que tu puisses être,
Et si pour me gagner il faut trahir ton maître,
1035 Mille autres à l'envi recevraient cette loi[2],
S'ils pouvaient m'acquérir à même prix[3] que toi.
Mais n'appréhende pas qu'un autre ainsi m'obtienne.
Vis pour ton cher tyran, tandis que je meurs tienne :
Mes jours avec les siens se vont précipiter,
1040 Puisque ta lâcheté n'ose me mériter.
Viens me voir, dans son sang et dans le mien baignée,
De ma seule vertu mourir accompagnée
Et te dire en mourant d'un esprit satisfait :
« N'accuse point mon sort, c'est toi seul qui l'as fait ;
1045 Je descends dans la tombe où[4] tu m'as condamnée,
Où la gloire me suit qui[5] t'était destinée :
Je meurs en détruisant un pouvoir absolu ;
Mais je vivrais à toi, si tu l'avais voulu. »

CINNA

Eh bien ! vous le voulez, il faut vous satisfaire,
1050 Il faut affranchir Rome, il faut venger un père,
Il faut sur un tyran porter de justes coups ;
Mais apprenez qu'Auguste est moins tyran[6] que vous :
S'il nous ôte à son gré nos biens, nos jours, nos femmes,
Il n'a point jusqu'ici tyrannisé nos âmes ;
1055 Mais l'empire inhumain qu'exercent vos beautés
Force jusqu'aux esprits et jusqu'aux volontés.

---

1. *En son lieu supposé* : mis à sa place.
2. *À l'envi... loi* : rivaliseraient pour avoir cette condition.
3. *À même prix* : au même prix ; voir vers 919.
4. *Où* : à laquelle.
5. *Qui* : a pour antécédent « gloire » (voir p. 188).
6. *Tyran* : jeu sur les sens du mot (politique et amoureux).

Vous me faites priser[1] ce qui me déshonore ;
Vous me faites haïr ce que mon âme adore ;
Vous me faites répandre un sang pour qui[2] je dois[3]
1060 Exposer tout le mien et mille et mille fois :
Vous le voulez, j'y cours, ma parole est donnée ;
Mais ma main, aussitôt contre mon sein tournée,
Aux mânes d'un tel prince immolant votre amant,
À mon crime forcé joindra mon châtiment
1065 Et, par cette action dans l'autre confondue,
Recouvrera ma gloire aussitôt que perdue.
Adieu.

SCÈNE 5. ÉMILIE, FULVIE.

FULVIE

Vous avez mis son âme au désespoir.

ÉMILIE

Qu'il cesse de m'aimer, ou suive son devoir.

FULVIE

Il va vous obéir aux dépens de sa vie :
1070 Vous en pleurez !

ÉMILIE

Hélas ! cours après lui, Fulvie,
Et si ton amitié daigne me secourir,
Arrache-lui du cœur ce dessein de mourir :
Dis-lui...

1. *Priser* : estimer.
2. *Pour qui* : pour lequel.
3. *Je dois* : je devrais (latinisme).

FULVIE

Qu'en sa faveur vous laissez vivre Auguste ?

ÉMILIE

Ah ! c'est faire à ma haine une loi[1] trop injuste.

FULVIE

1075 Et quoi donc ?

ÉMILIE

Qu'il achève et dégage sa foi[2],
Et qu'il choisisse après de la mort ou de moi.

1. *Loi :* condition.
2. *Dégage sa foi :* remplisse sa promesse.

Acte III Scènes 3, 4 et 5

LA TIRADE DE CINNA

1. Vers 865-874 : sur quel mot Cinna raisonne-t-il dans cette première partie ? Pourquoi emploie-t-il le vocabulaire de l'honneur ?

2. Vers 875-892 : montrez en quoi le sentiment de l'honneur fait interpréter la vengeance comme une trahison. Expliquez le paradoxe des vers 881-884 ; d'Auguste ou de Cinna, lequel a été convaincu par l'autre à l'acte II, scène 1 ?

3. Vers 893-905 : comment Cinna est-il également lié à Émilie par le sentiment de l'honneur ? Analysez la façon dont Cinna conçoit l'amour dans ces quelques vers. Quelle décision prend-il à la fin de la tirade ?

4. Cette tirade fait-elle avancer l'action ? Justifiez votre réponse.

5. Dans *Cinna*, chaque personnage important dispose d'un monologue. La tirade présente de Cinna peut rappeler celle d'Émilie (I, 1). Vous rechercherez successivement les similitudes entre les deux tirades au plan des idées et de l'emploi de la rhétorique, et ce qui les différencie au plan des idées. Quelle conclusion peut-on en tirer sur le caractère des deux personnages ?

6. Le vers 905 dépeint-il bien, à votre avis, le personnage d'Émilie ?

LE PLAN DE LA SCÈNE 4

7. Vers 906-943 : le malentendu dissipé. Quels sont les sentiments successifs d'Émilie ? Quel mot la fait réagir au vers 931 ? Comment se traduit son orgueil ? Comment se manifeste la gêne de Cinna ?

8. Vers 944-976 : discussion sur la générosité. Pourquoi chacun des deux amants a-t-il sa propre conception de la générosité, contredisant celle de l'autre ? Que propose exactement Cinna à Émilie ? Montrez que les vers 965-970 préparent la conversion finale (V, 3) et que le vers 969 annonce le vers 1774.

9. Vers 977-1002 : discussion sur l'esclavage. Comment Cinna renverse-t-il la notion d'esclavage ? Comparez ce plaidoyer en

faveur d'Auguste aux vers 215-228 tenus par le même Cinna. Qu'en pensez-vous ? Comment se traduit l'orgueil d'être romaine dans la bouche d'Émilie ?

10. Vers 1003-1010 : quel est le nouvel argument de Cinna ?

11. Vers 1011-1048 : la tirade d'Émilie. Dégagez-en le plan. Quels en sont les arguments valables et les arguments spécieux ? Quel sera, selon vous, l'argument déterminant dans l'esprit de Cinna ? Étudiez le jeu des pronoms destiné à influencer Cinna ainsi que le vocabulaire galant et amoureux.

12. Vers 1049-1067 : la décision de Cinna. Que décide Cinna ? Par quels procédés rhétoriques ses sentiments sont-ils mis en valeur ? Étudiez le mélange du vocabulaire galant et du vocabulaire de la gloire.

LES PERSONNAGES

13. Émilie. Relevez les vers exprimant sa détermination et son intransigeance ainsi que les expressions où se manifeste le vocabulaire du prix ; Cinna doit « acheter » Émilie en assassinant Auguste : que pensez-vous de cette conception de l'amour ? Émilie justifie-t-elle l'expression d'« aimable inhumaine » (vers 905) ?

14. Cinna. Montrez comment son impuissance progresse au fur et à mesure de la scène. Étudiez les deux aspects du personnage : romanesque, politique.

L'ACTION

15. En quoi cette scène est-elle importante pour l'action de la pièce ?

16. Expliquez l'importance du vers 1070.

17. Pourquoi Corneille a-t-il jugé nécessaire d'écrire la courte scène 5 ?

Questions sur l'ensemble de l'acte III

1. À la fin de l'acte III, l'action est tendue au maximum. Montrez comment l'action a évolué au cours de chacune des scènes de l'acte III. Qu'ont décidé Maxime et Cinna ?

2. Quels peuvent être les sentiments du spectateur à l'égard des principaux personnages de la pièce ?

Acte IV

Dans l'appartement d'Auguste.

SCÈNE PREMIÈRE. AUGUSTE, EUPHORBE, POLYCLÈTE, GARDE.

AUGUSTE

Tout ce que tu me dis, Euphorbe, est incroyable.

EUPHORBE

Seigneur, le récit même en paraît effroyable :
On ne conçoit qu'à peine[1] une telle fureur,
1080 Et la seule pensée en fait frémir d'horreur.

AUGUSTE

Quoi ? mes plus chers amis ! quoi ? Cinna ! quoi ? [Maxime !
Les deux que j'honorais d'une si haute estime,
À qui j'ouvrais mon cœur, et dont j'avais fait choix
Pour les plus importants et plus nobles[2] emplois !
1085 Après qu'entre leurs mains j'ai remis mon empire,
Pour m'arracher le jour l'un et l'autre conspire[3] !
Maxime a vu sa faute, il m'en fait avertir,
Et montre un cœur touché d'un juste repentir ;
Mais Cinna !

EUPHORBE

Cinna seul dans sa rage s'obstine,
1090 Et contre vos bontés d'autant plus se mutine[4] ;

---

1. *À peine :* avec peine.
2. *Et plus nobles :* et les plus nobles (voir p. 188).
3. *Conspire :* conspirent (accord, ici, avec le sujet le plus proche).
4. *D'autant... mutine :* se révolte d'autant plus qu'il est seul ; même image au vers 124.

Lui seul combat encor les vertueux efforts
Que sur les conjurés fait ce juste remords,
Et, malgré les frayeurs à leurs regrets mêlées,
Il tâche à[1] raffermir leurs âmes ébranlées.

AUGUSTE

1095 Lui seul les encourage, et lui seul les séduit[2] !
Ô le plus déloyal que la terre ait produit !
Ô trahison conçue au sein d'une furie[3] !
Ô trop sensible coup d'une main si chérie !
Cinna, tu me trahis ! Polyclète, écoutez.
(Il lui parle à l'oreille.)

POLYCLÈTE

1100 Tous vos ordres, Seigneur, seront exécutés.

AUGUSTE

Qu'Éraste en même temps aille dire à Maxime
Qu'il vienne recevoir le pardon de son crime.
(Polyclète rentre.)

EUPHORBE

Il l'a jugé trop grand pour ne pas s'en punir :
À peine du palais il a pu revenir,
1105 Que, les yeux égarés et le regard farouche,
Le cœur gros de soupirs, les sanglots à la bouche,
Il déteste[4] sa vie et ce complot maudit,
M'en apprend l'ordre entier tel que je vous l'ai dit,
Et, m'ayant commandé que je vous avertisse,
1110 Il ajoute : « Dis-lui que je me fais justice,
Que je n'ignore point ce que j'ai mérité. »
Puis soudain dans le Tibre il s'est précipité,

1. Corneille emploie indifféremment « tâcher à » et « tâcher de ».
2. *Séduit* : détourne du droit chemin.
3. *Furie* : les Furies étaient trois horribles déesses vivant dans les Enfers et destinées à punir les crimes des humains.
4. *Déteste* : maudit (sens latin).

Et l'eau grosse et rapide, et la nuit assez noire[1],
M'ont dérobé la fin de sa tragique histoire.

AUGUSTE

1115 Sous ce pressant remords il a trop succombé[2]
Et s'est à mes bontés lui-même dérobé ;
Il n'est crime envers moi qu'un repentir n'efface.
Mais puisqu'il a voulu renoncer à ma grâce,
Allez[3] pourvoir au reste, et faites qu'on ait soin
1120 De tenir en lieu sûr ce fidèle témoin.

SCÈNE 2. AUGUSTE.

Ciel, à qui voulez-vous désormais que je fie[4]
Les secrets de mon âme et le soin de ma vie ?
Reprenez le pouvoir que vous m'avez commis[5]
Si donnant[6] des sujets il ôte les amis ;
1125 Si tel est le destin des grandeurs[7] souveraines
Que leurs plus grands bienfaits n'attirent que des haines,
Et si votre rigueur les condamne à chérir
Ceux que vous animez à[8] les faire périr.
Pour elles rien n'est sûr ; qui peut tout doit tout craindre.

---

1. *Et l'eau... noire* : variante (1643-1656) :
« Et l'eau grosse et rapide, et la nuit survenue
L'ont dérobé sur l'heure à ma débile vue. »
2. *Il a trop succombé* : il a été trop accablé.
3. *Allez* : s'adresse à un garde.
4. *Fie* : confie (simple pour le composé).
5. *Commis* : confié.
6. *Donnant* : en donnant.
7. *Grandeurs* : grands personnages.
8. *Animez à* : poussez à.

1130 Rentre en toi-même, Octave, et cesse de te plaindre.
Quoi ! tu veux qu'on t'épargne, et n'as rien épargné !
Songe aux fleuves de sang où ton bras s'est baigné,
De combien[1] ont rougi les champs de Macédoine[2],
Combien en a versé la défaite d'Antoine[3],
1135 Combien celle de Sexte[4], et revois tout d'un temps
Pérouse au sien noyée[5], et tous ses habitants ;
Remets dans ton esprit, après tant de carnages,
De tes proscriptions[6] les sanglantes images,
Où toi-même, des tiens devenu le bourreau,
1140 Au sein de ton tuteur[7] enfonças le couteau :
Et puis ose accuser le destin d'injustice,
Quand tu vois que les tiens s'arment pour ton supplice,
Et que, par ton exemple à ta perte guidés,
Ils violent des droits que tu n'as pas gardés !
1145 Leur trahison est juste, et le ciel l'autorise :
Quitte ta dignité comme tu l'as acquise[8] ;
Rends un sang infidèle à l'infidélité,
Et souffre des ingrats après l'avoir été.
Mais que mon jugement au besoin[9] m'abandonne !
1150 Quelle fureur, Cinna, m'accuse et te pardonne ?
Toi, dont la trahison me force à retenir

---

1. *De combien :* de combien de sang.
2. *Macédoine :* lors de la bataille de Philippes (42 av. J.-C.), où Octave et Antoine vainquirent Cassius et Brutus ; voir vers 669.
3. *Défaite d'Antoine :* à Actium (31 av. J.-C.) ; voir vers 171.
4. *Celle de Sexte :* Sextus Pompée, fils du grand Pompée, battu sur mer par Agrippa (36 av. J.-C.).
5. *Pérouse au sien noyée :* Pérouse noyée dans son sang, après la capitulation de Lucius Antonius, frère de Marc Antoine, qui y était bloqué par Octave (40 av. J.-C.). Lucius fut épargné mais la ville brûla, et 300 notables furent sacrifiés aux mânes de Jules César.
6. *Proscriptions :* après la mort de César, en 43 av. J.-C.
7. *Ton tuteur :* Toranius.
8. *Comme tu l'as acquise :* c'est-à-dire par la violence.
9. *Au besoin :* dans le besoin.

Michel Vitold (Auguste).
Mise en scène de Jean-Marie Villégier. Comédie-Française, 1984.

Ce pouvoir souverain dont tu me veux punir,
Me traite en criminel et fait seule mon crime,
Relève pour l'abattre un trône illégitime,
1155 Et, d'un zèle effronté couvrant son attentat,
S'oppose, pour me perdre, au bonheur de l'État[1] ?
Donc jusqu'à l'oublier je pourrais me contraindre !
Tu vivrais en repos après m'avoir fait craindre !
Non, non, je me trahis moi-même d'y penser[2] ;
1160 Qui pardonne aisément invite à l'offenser ;

1. *Bonheur de l'État* : qui aurait été qu'Auguste abdique.
2. *D'y penser* : en y pensant.

Punissons l'assassin, proscrivons les complices.
Mais quoi ? toujours du sang, et toujours des supplices !
Ma cruauté se lasse et ne peut s'arrêter ;
Je veux me faire craindre et ne fais qu'irriter.
1165 Rome a pour ma ruine une hydre[1] trop fertile :
Une tête coupée en fait renaître mille,
Et le sang répandu de mille conjurés
Rend mes jours plus maudits, et non plus assurés.
Octave, n'attends plus le coup d'un nouveau Brute :
1170 Meurs, et dérobe-lui la gloire de ta chute[2] ;
Meurs : tu ferais pour vivre un lâche et vain effort,
Si tant de gens de cœur font des vœux pour ta mort,
Et si tout ce que Rome a d'illustre jeunesse
Pour te faire périr tour à tour s'intéresse ;
1175 Meurs, puisque c'est un mal que tu ne peux guérir ;
Meurs enfin, puisqu'il faut ou tout perdre, ou mourir.
La vie est peu de chose, et le peu qui t'en reste[3]
Ne vaut pas l'acheter[4] par un prix si funeste.
Meurs ; mais quitte du moins la vie avec éclat ;
1180 Éteins-en le flambeau[5] dans le sang de l'ingrat ;
À toi-même en mourant immole ce perfide ;
Contentant[6] ses désirs, punis son parricide ;
Fais un tourment pour lui de ton propre trépas,
En faisant qu'il le voie et n'en jouisse pas.
1185 Mais jouissons plutôt nous-même de sa peine[7],
Et si Rome nous hait, triomphons de sa haine.

---

1. *Hydre :* image de l'hydre de Lerne dont les têtes repoussaient quand elles avaient été coupées.
2. *Dérobe-lui... chute :* prive-le de la gloire de te faire tomber.
3. *Le peu qui t'en reste :* si l'on suit Dion Cassius, Auguste aurait eu 57 ans, l'âge que lui donne Corneille.
4. *L'acheter :* qu'on l'achète.
5. *Le flambeau :* la vie.
6. *Contentant :* en contentant.
7. *Sa peine :* son supplice.

Ô Romains, ô vengeance, ô pouvoir absolu,
Ô rigoureux combat d'un cœur irrésolu,
Qui fuit en même temps tout ce qu'il se propose !
1190 D'un prince malheureux ordonnez quelque chose.
Qui[1] des deux dois-je suivre, et duquel m'éloigner ?
Ou laissez-moi périr, ou laissez-moi régner.

1. *Qui* : lequel.

Acte IV Scènes 1 et 2

L'ÉVOLUTION DE L'ACTION ET LES PERSONNAGES

1. Pourquoi Corneille fait-il révéler la conjuration par Euphorbe, et non par Maxime ? Quel est l'intérêt pour l'intrigue et pour les caractères ?

2. En quoi la scène 1 est-elle importante pour l'action ? Quel dénouement peut laisser présager le vers 1099, et quel peut être le contenu des paroles d'Auguste à Polyclète ?

3. Distinguez dans les paroles d'Euphorbe la vérité des fausses révélations ; Voltaire a écrit : « Il est triste qu'un si bas et si lâche subalterne, un esclave affranchi paraisse avec Auguste et que l'auteur n'ait pas trouvé dans la jalousie de Maxime [...] de quoi fournir des soupçons à Auguste ». Êtes-vous de cet avis ? Le récit d'Euphorbe ne contient-il pas des maladresses ?

4. Justifiez l'opinion de Charles Dullin : « Auguste ressent un chagrin réel de la trahison de Cinna. Pendant cette première scène, il passe de la colère à la lassitude qui amènera son monologue. »

5. Pourquoi Auguste ne discerne-t-il pas la fausseté des paroles d'Euphorbe ?

LA TIRADE D'AUGUSTE : L'EXPÉRIENCE DE LA SOLITUDE HÉROÏQUE

6. La solitude et la trahison (v. 1121-1129). En quoi les vers 1121-1124 sont-ils la suite logique de la scène 1 de l'acte II ?

7. Auguste face à Octave (v. 1130-1148). Le passé : expliquez les exemples historiques, les images du sang et montrez que ce sont les mêmes qui ont été employées par Cinna (I, 3). Le présent : étudiez le jeu des pronoms personnels et des adjectifs possessifs en cherchant leur signification.

8. La révolte contre Cinna (v. 1149-1161). Que reproche Auguste à Cinna ? Analysez le jeu passionné des pronoms personnels. Par quels autres procédés se traduit la révolte d'Auguste ?

9. La tentation du suicide (v. 1162-1186). La lassitude : expliquez l'image de l'hydre. Quels procédés rhétoriques mettent en valeur la décision de mourir ? La vengeance : que signifient exactement les vers 1182-1186 ?

10. L'irrésolution finale (v. 1187-1192). Comment se traduit-elle ?

11. Le troisième monologue de la pièce. Justifiez cette remarque de Voltaire : « Voilà encore une occasion où un monologue est bien placé ; la situation d'Auguste est une excuse légitime. » Êtes-vous toujours d'accord avec Voltaire quand il ajoute : « À mesure que le public s'est plus éclairé, il s'est un peu dégoûté des longs monologues. » Ou partagez-vous le sentiment de Dullin : « Ce débat d'Auguste avec sa conscience est un des grands moments de la pièce, peut-être le plus grand » ?

12. La solitude d'Auguste. Vous discuterez cette opinion de Serge Doubrovsky : « Abandonné par les êtres qu'il aimait le plus, Auguste fait l'expérience déchirante de la solitude héroïque, qu'avait faite avant lui Horace. »

SCÈNE 3. AUGUSTE, LIVIE.

AUGUSTE

Madame, on me trahit, et la main qui me tue
Rend sous mes déplaisirs ma constance abattue.
1195 Cinna, Cinna le traître...

LIVIE

Euphorbe m'a tout dit[1],
Seigneur, et j'ai pâli cent fois à ce récit.
Mais écouteriez-vous les conseils d'une femme[2] ?

AUGUSTE

Hélas ! de quel conseil est capable mon âme ?

LIVIE

Votre sévérité, sans produire aucun fruit,
1200 Seigneur, jusqu'à présent a fait beaucoup de bruit.
Par les peines d'un autre aucun ne s'intimide[3] :
Salvidien[4] à bas a soulevé Lépide[5] ;
Murène[6] a succédé, Cépion[7] l'a suivi ;
Le jour à tous les deux dans les tourments ravi[8]
1205 N'a point mêlé de crainte à la fureur d'Égnace[9],
Dont Cinna maintenant ose prendre la place ;

---

1. *M'a tout dit* : habileté dramatique de Corneille, qui évite ainsi un nouveau récit des faits.
2. Traduit littéralement de Sénèque.
3. *Ne s'intimide* : n'est intimidé ; pronominal à sens passif.
4. *Salvidien* : Salvidienus, lieutenant d'Octave, complota contre lui et fut mis à mort.
5. *Lépide* : fils du triumvir, mis à mort après Actium. Comprendre : la chute de Salvidien déclencha l'action de Lépide.
6. *Murène* : Murena conspira en 22 av. J.-C. et fut condamné à mort.
7. *Cépion* : conspira aussi, mais ne fut mis à mort que sous Tibère.
8. *Le jour... ravi* : le fait de les mettre à mort dans des supplices.
9. *Égnace* : Egnatius complota après Cépion contre Auguste ; il fut mis à mort.

Et dans les plus bas rangs les noms les plus abjets[1]
Ont voulu s'ennoblir par de si hauts projets.
Après avoir en vain puni leur insolence,
1210 Essayez sur Cinna ce que peut la clémence,
Faites son châtiment de sa confusion ;
Cherchez le plus utile en cette occasion ;
Sa peine peut aigrir une ville animée[2],
Son pardon peut servir à votre renommée ;
1215 Et ceux que vos rigueurs ne font qu'effaroucher[3]
Peut-être à vos bontés[4] se laisseront toucher.

AUGUSTE

Gagnons-les tout à fait en quittant cet empire
Qui nous rend odieux, contre qui l'on conspire.
J'ai trop par vos avis consulté[5] là-dessus ;
1220 Ne m'en parlez jamais, je ne consulte plus.
Cesse de soupirer, Rome, pour ta franchise[6] ;
Si je t'ai mise aux fers, moi-même je les brise,
Et te rends ton État, après l'avoir conquis,
Plus paisible et plus grand que je ne te l'ai pris ;
1225 Si tu me veux haïr, hais-moi sans plus rien feindre ;
Si tu me veux aimer, aime-moi sans me craindre :
De tout ce qu'eut Sylla[7] de puissance et d'honneur,
Lassé comme il en fut, j'aspire à mon bonheur.

LIVIE

Assez et trop longtemps son exemple vous flatte[8] ;

1. *Abjets* : abjects ; orthographe conforme à la prononciation du XVIIe siècle.
2. *Animée* : excitée contre vous.
3. *Effaroucher* : rendre plus farouches.
4. *À vos bontés* : par vos bontés.
5. *Consulté* : délibéré.
6. *Franchise* : liberté.
7. *Sylla* : Sylla abdiqua en 79 av. J.-C., alors qu'il était dictateur à vie ; Auguste est obsédé par l'exemple de Sylla.
8. *Flatte* : attire, séduit.

1230 Mais gardez que sur vous le contraire n'éclate[1] :
Ce bonheur[2] sans pareil qui conserva ses jours
Ne serait pas bonheur, s'il arrivait toujours.

AUGUSTE

Eh bien ! s'il est trop grand, si j'ai tort d'y prétendre,
J'abandonne mon sang à qui voudra l'épandre[3].
1235 Après un long orage il faut trouver un port ;
Et je n'en vois que deux, le repos ou la mort.

LIVIE

Quoi ? vous voulez quitter le fruit[4] de tant de peines ?

AUGUSTE

Quoi ? vous voulez garder l'objet de tant de haines ?

LIVIE

Seigneur, vous emporter à cette extrémité,
1240 C'est plutôt désespoir que générosité.

AUGUSTE

Régner et caresser une main si traîtresse,
Au lieu de sa vertu, c'est montrer sa faiblesse.

LIVIE

C'est régner sur vous-même[5], et, par un noble choix,
Pratiquer la vertu la plus digne des rois.

AUGUSTE

1245 Vous m'aviez bien promis des conseils d'une femme :
Vous me tenez parole, et c'en sont là, madame.
Après tant d'ennemis à mes pieds abattus,
Depuis vingt ans je règne, et j'en[6] sais les vertus ;

---

1. *N'éclate* : ne se produise à votre détriment.
2. *Bonheur* : Sylla était surnommé *Felix*, c'est-à-dire « l'Heureux ».
3. *Épandre* : répandre ; emploi du verbe simple au lieu du dérivé (voir p. 187).
4. *Fruit* : résultat.
5. *Régner sur vous-même* : c'est ce que fera Auguste au vers 1696.
6. *En* : de l'art de régner.

Je sais leur divers ordre[1], et de quelle nature
1250 Sont les devoirs d'un prince en cette conjoncture.
Tout son peuple est blessé par un tel attentat,
Et la seule pensée[2] est un crime d'État,
Une offense qu'on fait à toute sa province[3],
Dont il faut qu'il la venge, ou cesse d'être prince.

LIVIE

1255 Donnez moins de croyance à votre passion[4].

AUGUSTE

Ayez moins de faiblesse, ou moins d'ambition.

LIVIE

Ne traitez plus si mal un conseil salutaire.

AUGUSTE

Le ciel m'inspirera ce qu'ici je dois faire.
Adieu : nous perdons temps[5].

LIVIE

Je ne vous quitte point,
1260 Seigneur, que mon amour n'aye[6] obtenu ce point.

AUGUSTE

C'est l'amour des grandeurs qui vous rend importune.

LIVIE

J'aime votre personne, et non votre fortune.
(Elle est seule.)
Il m'échappe : suivons, et forçons-le de voir
Qu'il peut, en faisant grâce, affermir son pouvoir,

1. *Leur divers ordre :* leur importance respective.
2. *Pensée :* idée d'un tel attentat.
3. *Province :* pays.
4. *Donnez... passion :* écoutez moins votre passion.
5. *Temps :* du temps (voir p. 188).
6. *N'aye :* forme ancienne de la 3e personne du subjonctif (ait) ; Vaugelas la considère déjà comme une faute.

1265 Et qu'enfin la clémence est la plus belle marque
Qui fasse à l'univers connaître un vrai monarque.

Dans l'appartement d'Émilie.

SCÈNE 4. ÉMILIE, FULVIE.

ÉMILIE

D'où me vient cette joie ? et que mal à propos
Mon esprit malgré soi goûte un entier repos !
César mande Cinna sans me donner d'alarmes !
1270 Mon cœur est sans soupirs, mes yeux n'ont point de larmes,
Comme si j'apprenais d'un secret mouvement
Que tout doit succéder à mon contentement[1] !
Ai-je bien entendu ? me l'as-tu dit, Fulvie ?

FULVIE

J'avais gagné sur lui qu'il aimerait la vie[2],
1275 Et je vous l'amenais, plus traitable et plus doux,
Faire un second effort contre votre courroux.
Je m'en applaudissais[3], quand soudain Polyclète,
Des volontés d'Auguste ordinaire interprète,
Est venu l'aborder et sans suite et sans bruit,
1280 Et de sa part sur l'heure au palais l'a conduit.
Auguste est fort troublé, l'on ignore la cause ;
Chacun diversement soupçonne quelque chose :
Tous présument qu'il aye[4] un grand sujet d'ennui,
Et qu'il mande Cinna pour prendre avis de lui.

1. *Succéder à mon contentement* : marcher comme je le veux.
2. *Il aimerait la vie* : il ne se suiciderait pas.
3. *Je m'en applaudissais* : je m'en réjouissais.
4. *Aye* : ait ; voir vers 1260 et p. 187.

1285 Mais ce qui m'embarrasse, et que je viens d'apprendre,
C'est que deux inconnus se sont saisis d'Évandre,
Qu'Euphorbe est arrêté sans qu'on sache pourquoi,
Que même de son maître on dit je ne sais quoi :
On lui veut imputer un désespoir funeste ;
1290 On parle d'eaux, de Tibre, et l'on se tait du reste[1].

ÉMILIE

Que de sujets de craindre et de désespérer,
Sans que mon triste cœur en daigne murmurer !
à chaque occasion le ciel y fait descendre
Un sentiment contraire à celui qu'il doit prendre :
1295 Une vaine frayeur tantôt m'a pu troubler,
Et je suis insensible alors qu'il faut trembler.
Je vous entends, grands dieux ! vos bontés que j'adore
Ne peuvent consentir que je me déshonore ;
Et, ne me permettant soupirs, sanglots, ni pleurs,
1300 Soutiennent ma vertu contre de tels malheurs.
Vous voulez que je meure avec ce grand courage
Qui m'a fait entreprendre un si fameux ouvrage ;
Et je veux bien périr comme vous l'ordonnez,
Et dans la même assiette où vous me retenez.
1305 Ô liberté de Rome ! ô mânes de mon père !
J'ai fait de mon côté tout ce que j'ai pu faire :
Contre votre tyran j'ai ligué ses amis,
Et plus osé pour vous qu'il ne m'était permis.
Si l'effet a manqué[2], ma gloire n'est pas moindre ;
1310 N'ayant pu vous venger, je vous irai rejoindre,
Mais si fumante[3] encore d'un généreux courroux,
Par un trépas si noble et si digne de vous,
Qu'il vous fera sur l'heure aisément reconnaître
Le sang des grands héros dont vous m'avez fait naître.

1. *Du reste :* « Qu'est-ce que le reste ? » demande Voltaire.
2. *Si l'effet a manqué :* si la réalisation ne s'est pas produite.
3. *Fumante :* « animée au point de sembler exhaler feu et fumée » (Littré).

SCÈNE 5. MAXIME, ÉMILIE, FULVIE.

ÉMILIE

1315 Mais je vous vois, Maxime, et l'on vous faisait mort !

MAXIME

Euphorbe trompe Auguste avec ce faux rapport :
Se voyant arrêté, la trame découverte,
Il a feint ce trépas pour empêcher ma perte.

ÉMILIE

Que dit-on de Cinna ?

MAXIME

Que son plus grand regret,
1320 C'est de voir que César sait tout votre secret ;
En vain il le dénie[1] et le veut méconnaître[2],
Évandre a tout conté pour excuser son maître,
Et par l'ordre d'Auguste on vient vous arrêter.

ÉMILIE

Celui qui l'a reçu tarde à l'exécuter :
1325 Je suis prête à le suivre et lasse de l'attendre.

MAXIME

Il vous attend chez moi.

ÉMILIE

Chez vous !

MAXIME

C'est vous surprendre :
Mais apprenez le soin que le ciel a de vous :
C'est un des conjurés qui va fuir avec nous.
Prenons notre avantage avant qu'on nous poursuive :
1330 Nous avons pour partir un vaisseau sur la rive.

---

1. *Dénie :* nie.
2. *Le veut méconnaître :* ne veut pas le reconnaître.

ÉMILIE

Me connais-tu[1], Maxime, et sais-tu qui je suis ?

MAXIME

En faveur de Cinna je fais ce que je puis,
Et tâche à garantir de ce malheur extrême
La plus belle moitié[2] qui reste de lui-même.
1335 Sauvons-nous, Émilie, et conservons le jour,
Afin de le venger par un heureux retour.

ÉMILIE

Cinna dans son malheur est de ceux qu'il faut suivre,
Qu'il ne faut pas venger, de peur de leur survivre :
Quiconque après sa perte aspire à se sauver
1340 Est indigne du jour qu'il tâche à conserver.

MAXIME

Quel désespoir aveugle à ces fureurs vous porte ?
Ô dieux ! que de faiblesse en une âme si forte !
Ce cœur si généreux rend si peu de combat[3],
Et du premier revers la fortune l'abat !
1345 Rappelez, rappelez cette vertu sublime ;
Ouvrez enfin les yeux, et connaissez Maxime :
C'est un autre Cinna qu'en lui vous regardez ;
Le ciel vous rend en lui l'amant que vous perdez ;
Et puisque l'amitié n'en faisait plus qu'une âme,
1350 Aimez en cet ami l'objet de votre flamme ;
Avec la même ardeur il saura vous chérir
Que...

ÉMILIE

Tu m'oses aimer, et tu n'oses mourir !
Tu prétends un peu trop[4] : mais, quoi que tu prétendes,

1. *Me connais-tu* : passage du « vous » au « tu ».
2. *Moitié* : terme galant désignant ici Émilie.
3. *Rend si peu de combat* : lutte si peu.
4. *Tu prétends un peu trop* : tu as un peu trop de prétentions.

Rends-toi digne du moins de ce que tu demandes :
1355 Cesse de fuir en lâche un glorieux trépas,
Ou de m'offrir un cœur que tu fais voir si bas ;
Fais que je porte envie à ta vertu parfaite ;
Ne te pouvant aimer, fais que je te regrette ;
Montre d'un vrai Romain la dernière vigueur,
1360 Et mérite mes pleurs au défaut de[1] mon cœur.
Quoi ! si ton amitié pour Cinna s'intéresse,
Crois-tu qu'elle consiste à flatter sa maîtresse ?
Apprends, apprends de moi quel en[2] est le devoir,
Et donne-m'en[3] l'exemple, ou viens le recevoir.

MAXIME

1365 Votre juste douleur est trop impétueuse.

ÉMILIE

La tienne en ta faveur est trop ingénieuse.
Tu me parles déjà d'un bienheureux retour,
Et dans tes déplaisirs tu conçois de l'amour !

MAXIME

Cet amour en naissant est toutefois extrême :
1370 C'est votre amant en vous, c'est mon ami que j'aime,
Et des mêmes ardeurs dont il fut embrasé...

ÉMILIE

Maxime, en voilà trop pour un homme avisé.
Ma perte m'a surprise et ne m'a point troublée ;
Mon noble désespoir ne m'a point aveuglée.
1375 Ma vertu tout entière agit sans s'émouvoir,
Et je vois malgré moi plus que je ne veux voir.

MAXIME

Quoi ? vous suis-je suspect de quelque perfidie ?

---

1. *Au défaut de :* à défaut de.
2. *En :* de l'amitié.
3. *En :* du devoir.

ÉMILIE

Oui, tu l'es, puisqu'enfin tu veux que je le die,
L'ordre de notre fuite est trop bien concerté
1380 Pour ne te soupçonner[1] d'aucune lâcheté :
Les dieux seraient pour nous prodigues en miracles,
S'ils en[2] avaient sans toi levé tous les obstacles.
Fuis sans moi : tes amours sont ici superflus.

MAXIME

Ah ! vous m'en dites trop.

ÉMILIE

J'en présume encor plus.
1385 Ne crains pas toutefois que j'éclate en injures ;
Mais n'espère non plus[3] m'éblouir de parjures[4].
Si c'est te faire tort que de m'en[5] défier,
Viens mourir avec moi pour te justifier.

MAXIME

Vivez, belle Émilie, et souffrez qu'un esclave...

ÉMILIE

1390 Je ne t'écoute plus qu'en présence d'Octave.
Allons, Fulvie, allons.

1. *Pour ne te soupçonner* : pour que je ne te soupçonne.
2. *En* : de notre fuite.
3. *N'espère non plus* : n'espère pas davantage.
4. *De parjures* : par tes mensonges.
5. *En* : de tes parjures.

Acte IV Scènes 3, 4 et 5

LIVIE

1. Distinguez les différentes parties de la scène 3.

2. Auguste. Quelles expressions traduisent son désarroi ? Quel reproche injustifié adresse-t-il à Livie à la fin de la scène ?

3. Les arguments de Livie. Quel est l'argument développé dans les vers 1210-1216 ? Montrez que l'argument centré sur la générosité et la vertu prépare la tirade des vers 1753-1780.

4. L'intérêt dramatique. Pourquoi Corneille, différant sur ce point de Sénèque et de Dion Cassius, a-t-il voulu qu'Auguste rejette ici le conseil de Livie, pour ne prononcer son jugement qu'à la fin de la pièce ?

ÉVOLUTION DE L'ACTION

5. Quel est l'intérêt dramatique de la scène 4 ?

6. Partagez-vous l'opinion de Voltaire selon lequel « cette scène ne produit rien, parce qu'elle ne sert qu'à remplir un moment vide » ? Quel est, en fait, l'intérêt dramatique de la scène 5 ?

LES PERSONNAGES

7. Les sentiments d'Émilie dans la scène 4 : que pensez-vous de sa « joie » (v. 1267), critiquée par Voltaire ? Quel sentiment domine dans la tirade des vers 1291-1314 ?

8. Faites le plan de la scène 5.

9. Relevez les phrases de Maxime qui trahissent ses intentions secrètes. Commentez l'opinion de Charles Dullin : « Maxime est jaloux ; malheureusement, il est maladroit quand il ment. » En quoi est-il ridicule ? Relevez les expressions galantes et précieuses de son style affecté.

10. Montrez que la tirade d'Émilie (vers 1291-1314) prépare les vers 1352-1364, et que l'on y retrouve le même vocabulaire de l'honneur et de la gloire. En quoi Émilie sort-elle grandie de cette scène ?

SCÈNE 6. MAXIME.

Désespéré, confus,
Et digne, s'il se peut, d'un plus cruel refus,
Que résous-tu, Maxime ? et quel est le supplice
Que ta vertu prépare à ton vain artifice ?
1395 Aucune illusion ne te doit plus flatter :
Émilie en mourant va tout faire éclater ;
Sur un même échafaud[1] la perte de sa vie
Étalera sa gloire et ton ignominie,
Et sa mort va laisser à la postérité
1400 L'infâme souvenir de ta déloyauté.
Un même jour t'a vu, par une fausse adresse[2],
Trahir ton souverain, ton ami, ta maîtresse,
Sans que de tant de droits en un jour violés,
Sans que de deux amants au tyran immolés,
1405 Il te reste aucun fruit que[3] la honte et la rage
Qu'un remords inutile allume en ton courage.
Euphorbe, c'est l'effet de tes lâches conseils ;
Mais que peut-on attendre enfin de tes pareils ?
Jamais un affranchi n'est qu'un esclave infâme ;
1410 Bien qu'il change d'état, il ne change point d'âme ;
La tienne, encore servile[4], avec la liberté
N'a pu prendre un rayon de générosité.
Tu m'as fait relever une injuste puissance[5] ;

---

1. *Échafaud* : anachronisme signalé par Voltaire : « Il n'y avait point d'échafauds chez les Romains pour les criminels. »
2. *Adresse* : ruse, habileté.
3. *Que* : sinon.
4. *Servile* : qui a un caractère d'esclave ; s'oppose à « générosité », qualité noble de l'âme.
5. *Une injuste puissance* : le pouvoir d'Auguste, qui a été préservé par la dénonciation d'Euphorbe.

Tu m'as fait démentir l'honneur de ma naissance ;
1415 Mon cœur te résistait et tu l'as combattu
Jusqu'à ce que ta fourbe[1] ait souillé sa vertu.
Il m'en coûte la vie, il m'en coûte la gloire,
Et j'ai tout mérité pour t'avoir voulu croire.
Mais les dieux permettront à mes ressentiments
1420 De te sacrifier aux yeux des deux amants.
Et j'ose m'assurer qu'en dépit de mon crime
Mon sang leur servira d'assez pure victime,
Si dans le tien mon bras, justement irrité,
Peut laver le forfait de t'avoir écouté.

1. *Fourbe* : fourberie.

Acte IV Scène 6

LE MONOLOGUE DE MAXIME

1. Partagez-vous l'opinion de Voltaire selon lequel : « Autant le spectateur s'est prêté au monologue important d'Auguste, qui est un personnage respectable, autant il se refuse au monologue de Maxime, qui excite l'indignation et le mépris » ?

2. Vers 1391-1406. Étudiez comment Maxime utilise, d'ailleurs à contretemps, le vocabulaire de la gloire.

3. Vers 1407-1424. « Il ne paraît pas convenable qu'un conjuré, qu'un sénateur reproche à un esclave de lui avoir fait commettre une mauvaise action », critique Voltaire. Cependant, ces accusations assez basses n'achèvent-elles pas le mouvement psychologique qui a animé Maxime tout au long des actes III et IV ? Que décide-t-il à la fin de la scène ?

4. En quoi le plan de ce monologue est-il très différent de celui d'Émilie (I, 1), de celui de Cinna (III, 3) ? Pourquoi ?

5. Montrez ce qui, dans cette scène, fait de Maxime un anti-héros.

Questions sur l'ensemble de l'acte IV

1. L'action dramatique a progressé : Auguste a-t-il pris une décision ? Émilie sait que le complot a été révélé ; quelles sont ses intentions ? Quelle est l'importance du personnage de Maxime ?

2. Évolution des personnages : Auguste a-t-il su triompher de son trouble ? Comment Émilie sort-elle de l'épreuve qui lui est imposée ? En quoi l'itinéraire de Maxime diffère-t-il de celui d'Émilie ? Pourquoi Cinna n'apparaît-il pas ?

3. Voltaire s'est montré très sévère pour les scènes 4, 5 et 6 de cet acte qu'il juge inutiles et basses. Corneille aurait-il pu se dispenser de les écrire ? Justifiez votre réponse.

J.-M. Monvel (1745-1812)
dans le rôle d'Auguste, au Théâtre-Français.
Bibliothèque nationale, Estampes, Paris.

Acte V

Dans l'appartement d'Auguste.

SCÈNE PREMIÈRE. AUGUSTE, CINNA.

AUGUSTE

1425 Prends un siège, Cinna, prends, et sur toute chose[1]
Observe exactement la loi que je t'impose :
Prête, sans me troubler, l'oreille à mes discours ;
D'aucun mot, d'aucun cri, n'en interromps le cours ;
Tiens ta langue captive ; et si ce grand silence
1430 À ton émotion fait quelque violence,
Tu pourras me répondre après tout à loisir :
Sur ce point seulement contente mon désir.

CINNA

Je vous obéirai, Seigneur.

AUGUSTE

Qu'il te souvienne
De garder ta parole, et je tiendrai la mienne.
1435 Tu vois le jour, Cinna ; mais ceux dont tu le tiens
Furent les ennemis de mon père[2] et les miens :
Au milieu de leur camp tu reçus la naissance,
Et lorsqu'après leur mort tu vins en ma puissance,
Leur haine enracinée au milieu de ton sein
1440 T'avait mis contre moi les armes à la main ;
Tu fus mon ennemi même avant que de naître,
Et tu le fus encor quand tu me pus connaître,

---

1. *Sur toute chose* : avant tout.
2. *Mon père* : César, père adoptif d'Auguste ; le père de Cinna, gendre de Pompée, faisait partie des ennemis de César.

Et l'inclination jamais n'a démenti
Ce sang qui t'avait fait du contraire parti[1] :
1445 Autant que tu l'as pu, les effets l'ont suivie.
Je ne m'en suis vengé qu'en te donnant la vie ;
Je te fis prisonnier pour te combler de biens :
Ma cour fut ta prison, mes faveurs tes liens ;
Je te restituai d'abord ton patrimoine,
1450 Je t'enrichis après des dépouilles d'Antoine,
Et tu sais que depuis, à chaque occasion,
Je suis tombé pour toi dans la profusion.
Toutes les dignités que tu m'as demandées,
Je te les ai sur l'heure et sans peine accordées[2] ;
1455 Je t'ai préféré même à ceux dont les parents
Ont jadis dans mon camp tenu les premiers rangs,
À ceux qui de leur sang m'ont acheté l'empire,
Et qui m'ont conservé le jour que je respire.
De la façon enfin qu'avec toi j'ai vécu,
1460 Les vainqueurs sont jaloux du bonheur du vaincu.
Quand le ciel me voulut, en rappelant Mécène[3],
Après tant de faveur montrer un peu de haine,
Je te donnai sa place en ce triste accident[4]
Et te fis, après lui, mon plus cher confident.
1465 Aujourd'hui même encor, mon âme irrésolue
Me pressant de quitter ma puissance absolue,
De Maxime et de toi j'ai pris les seuls avis,
Et ce sont, malgré lui, les tiens que j'ai suivis.
Bien plus, ce même jour je te donne Émilie,
1470 Le digne objet des vœux de toute l'Italie,
Et qu'ont mise si haut mon amour et mes soins,
Qu'en te couronnant roi[5] je t'aurais donné moins.

---

1. *Contraire parti :* parti contraire.
2. *Accordées :* en particulier le sacerdoce.
3. *Mécène :* il était mort en 8 av. J.-C., deux ans avant les événements racontés dans la tragédie.
4. *Triste accident :* funeste deuil.
5. Idée moderne, les Romains méprisant la royauté.

Tu t'en souviens, Cinna : tant d'heur et tant de gloire
Ne peuvent pas sitôt sortir de ta mémoire ;
1475 Mais ce qu'on ne pourrait jamais s'imaginer,
Cinna, tu t'en souviens, et veux m'assassiner.

CINNA

Moi, Seigneur ! moi, que j'eusse une âme si traîtresse !
Qu'un si lâche dessein...

AUGUSTE

Tu tiens mal ta promesse :
Sieds-toi[1], je n'ai pas dit encor ce que je veux ;
1480 Tu te justifieras après, si tu le peux.
Écoute cependant, et tiens mieux ta parole.
Tu veux m'assassiner demain, au Capitole[2],
Pendant le sacrifice, et ta main pour signal
Me doit, au lieu d'encens, donner le coup fatal ;
1485 La moitié de tes gens doit occuper la porte,
L'autre moitié te suivre et te prêter main-forte.
Ai-je de bons avis, ou de mauvais soupçons ?
De tous ces meurtriers te dirai-je les noms[3] ?
Procule, Glabrion, Virginian, Rutile,
1490 Marcel, Plaute, Lénas, Pompone, Albin, Icile,
Maxime, qu'après toi j'avais le plus aimé ;
Le reste ne vaut pas l'honneur d'être nommé :
Un tas d'hommes perdus[4] de dettes et de crimes,
Que pressent de mes lois les ordres légitimes,
1495 Et qui, désespérant de les plus[5] éviter,
Si tout n'est renversé, ne sauraient subsister.

---

1. *Sieds-toi* : assieds-toi.
2. *Demain, au Capitole* : c'est ce qu'avait dit Cinna aux vers 230 et suivants.
3. Les noms qui suivent sont inventés et francisés par Corneille.
4. *Perdus* : la formule est empruntée à Salluste qui l'appliquait aux complices de Catilina.
5. *Plus* : désormais.

Tu te tais[1] maintenant et gardes le silence,
Plus par confusion que par obéissance.
Quel était ton dessein, et que prétendais-tu
1500 Après m'avoir au temple à tes pieds abattu ?
Affranchir ton pays d'un pouvoir monarchique !
Si j'ai bien entendu tantôt[2] ta politique,
Son salut désormais dépend d'un souverain
Qui pour tout[3] conserver tienne tout en sa main ;
1505 Et si sa liberté te faisait entreprendre[4],

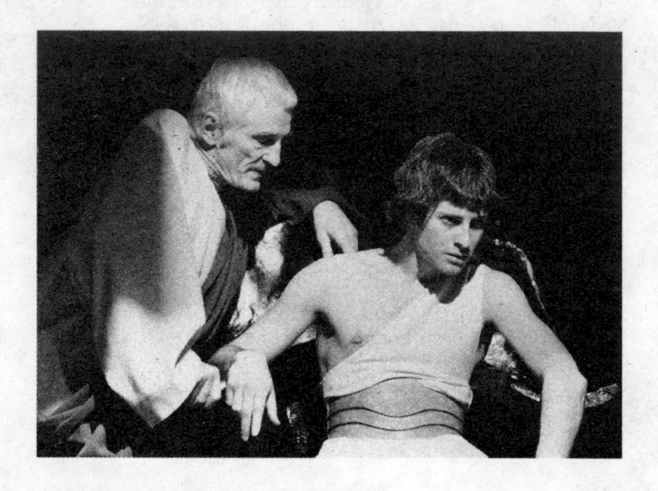

Michel Etcheverry (Auguste) et Francis Huster (Cinna).
Mise en scène de Simon Eine. Théâtre de l'Odéon, 1975.

1. *Tu te tais :* détail emprunté à Sénèque.
2. *Tantôt :* tout à l'heure, c'est-à-dire en II, 1.
3. *Tout :* mis en valeur par la répétition en chiasme (voir p. 205).
4. *Entreprendre :* commencer cette entreprise.

Tu ne m'eusses jamais empêché de la rendre ;
Tu l'aurais acceptée au nom de tout l'État,
Sans vouloir l'acquérir par un assassinat.
Quel était donc ton but[1] ? D'y régner en ma place ?
1510 D'un étrange malheur son destin le[2] menace,
Si pour monter au trône et lui donner la loi
Tu ne trouves dans Rome autre[3] obstacle que moi,
Si jusques à ce point son sort est déplorable
Que tu sois après moi le plus considérable,
1515 Et que ce grand fardeau de l'empire romain
Ne puisse après ma mort tomber mieux qu'en ta main.
Apprends à te connaître, et descends en toi-même :
On t'honore dans Rome, on te courtise, on t'aime,
Chacun tremble sous toi, chacun t'offre des vœux ;
1520 Ta fortune est bien haut, tu peux ce que tu veux ;
Mais tu ferais pitié même à ceux qu'elle irrite,
Si je t'abandonnais à ton peu de mérite.
Ose me démentir, dis-moi ce que tu vaux,
Conte-moi tes vertus, tes glorieux travaux,
1525 Les rares qualités par où[4] tu m'as dû plaire,
Et tout ce qui t'élève au-dessus du vulgaire.
Ma faveur fait ta gloire, et ton pouvoir en vient :
Elle seule t'élève, et seule te soutient ;
C'est elle qu'on adore, et non pas ta personne :
1530 Tu n'as crédit ni rang qu'autant qu'elle t'en donne[5],
Et pour te faire choir je n'aurais aujourd'hui
Qu'à retirer la main qui seule est ton appui.
J'aime mieux toutefois céder à ton envie :
Règne, si tu le peux, aux dépens de ma vie ;

1. *Ton but* : voir Sénèque : « Quel est ton but ? dit-il. D'être toi-même le chef ? »
2. *Le* : l'État.
3. *Autre* : d'autre ; voir Sénèque : « Par Hercule, le peuple romain est bien malheureux, si tu ne trouves pour prendre le pouvoir d'autre obstacle que moi ! »
4. *Par où* : par lesquelles.
5. Ton crédit et ton rang viennent uniquement de ma faveur.

1535 Mais oses-tu penser que les Serviliens,
Les Cosses, les Métels, les Pauls, les Fabiens,
Et tant d'autres enfin de qui les grands courages
Des héros de leur sang sont les vives images[1],
Quittent le noble orgueil d'un sang si généreux
1540 Jusqu'à pouvoir souffrir que tu règnes sur eux[2] ?
Parle, parle, il est temps.

CINNA

Je demeure stupide[3] ;
Non que votre colère ou la mort m'intimide ;
Je vois qu'on m'a trahi, vous m'y voyez rêver[4],
Et j'en cherche l'auteur[5] sans le pouvoir trouver.
1545 Mais c'est trop y[6] tenir toute l'âme occupée[7] :
Seigneur, je suis romain, et du sang de Pompée ;
Le père et les deux fils[8], lâchement égorgés,
Par la mort de César étaient trop peu vengés.
C'est là d'un beau dessein l'illustre et seule cause ;
1550 Et puisqu'à vos rigueurs la trahison m'expose,
N'attendez point de moi d'infâmes repentirs,
D'inutiles regrets ni de honteux soupirs.
Le sort vous est propice autant qu'il m'est contraire ;
Je sais ce que j'ai fait, et ce qu'il vous faut faire :
1555 Vous devez un exemple à la postérité,
Et mon trépas importe à votre sûreté.

AUGUSTE

---

1. *Vives images* : images vivantes ; les nobles romains conservaient les portraits (images) de leurs ancêtres pour les révérer.
2. Les vers 1533-1540 sont imités d'assez près de Sénèque.
3. *Stupide* : frappé de stupeur.
4. *Rêver* : songer.
5. *En... l'auteur* : l'auteur de la trahison.
6. *Y* : de la recherche du traître.
7. *Occupée* : préoccupée.
8. *Le père et les deux fils* : Pompée le grand, assassiné en Égypte en 48 av. J.-C., et ses deux fils, Cneius, tué à Munda en 45 av. J.-C., et Sextus, tué à Milet dans l'hiver 36-35 av. J.-C.

Tu me braves, Cinna, tu fais le magnanime[1],
Et, loin de t'excuser, tu couronnes ton crime.
Voyons si ta constance ira jusques au bout.
1560 Tu sais ce qui t'est dû, tu vois que je sais tout :
Fais ton arrêt toi-même, et choisis tes supplices.

1. *Le magnanime* : le fier.

Acte V Scène 1

UNE TIRADE INTERROMPUE

1. Dégagez la structure de la scène et montrez son habileté.

2. Dans les vers 1425-1476, étudiez le jeu méprisant des pronoms, ainsi que la gradation qui conduit au contraste du vers 1476.

3. La reprise de la tirade d'Auguste (v. 1478-1541) : dégagez-en le plan ; étudiez le jeu des pronoms, l'effet produit par l'accumulation des noms de personnes, le jeu des questions et des répétitions ; relevez les formules frappantes traduisant la supériorité écrasante et l'ironie d'Auguste.
Pourquoi Cinna interrompt-il Auguste au vers 1477 ? Pourquoi reste-t-il muet à partir du vers 1497 ? Pourquoi les vers 1541-1556 le réhabilitent-ils à nos yeux ?

4. La fin de la scène : quelle décision attendons-nous d'Auguste ?

CORNEILLE ET SÉNÈQUE : DE L'IMITATION

5. Un exemple d'imitation. Comparez les vers 1425-1478 avec le texte de Sénèque. C'est Auguste qui parle :
« Je te demande d'abord de ne pas m'interrompre, de ne pas t'écrier en plein milieu de mes paroles. Tu auras ensuite le temps nécessaire pour t'expliquer. Je t'ai trouvé, Cinna, dans le camp de mes ennemis, non seulement devenu, mais né mon ennemi, et j'ai conservé ta vie, je t'ai laissé tout ton patrimoine. Aujourd'hui tu es si heureux et si riche que les vainqueurs envient le vaincu. Quand tu demandais le sacerdoce, j'ai oublié plusieurs candidats dont les parents avaient fait campagne pour moi, et je te l'ai donné. Malgré tant de bienfaits, tu as décidé de m'assassiner.
À ces mots, Cinna s'écria qu'une telle folie était loin de lui. »
Sénèque, *De la clémence* I, III, 7, 7-9, traduction inédite.

6. Commentez la remarque de Voltaire : « Toute cette scène est de Sénèque le philosophe. Par quel prodige de l'art Corneille a-t-il surpassé Sénèque, comme dans *Horace* il a été plus nerveux que Tite-Live ? C'est là le privilège de la poésie. »

SCÈNE 2. AUGUSTE, LIVIE, CINNA, ÉMILIE, FULVIE.

LIVIE

Vous ne connaissez pas encor tous les complices :
Votre Émilie en est, Seigneur, et la voici.

CINNA

C'est elle-même, ô dieux !

AUGUSTE

Et toi, ma fille, aussi[1] !

ÉMILIE

1565 Oui, tout ce qu'il a fait, il l'a fait pour me plaire,
Et j'en étais, Seigneur, la cause et le salaire[2].

AUGUSTE

Quoi ? l'amour qu'en ton cœur j'ai fait naître aujourd'hui
T'emporte-t-il déjà jusqu'à mourir pour lui ?
Ton âme à ces transports un peu trop s'abandonne,
1570 Et c'est trop tôt aimer l'amant que je te donne.

ÉMILIE

Cet amour qui m'expose à vos ressentiments
N'est point le prompt effet de vos commandements ;
Ces flammes dans nos cœurs sans votre ordre étaient nées,
Et ce sont des secrets de plus de quatre années ;
1575 Mais quoique je l'aimasse et qu'il brûlât pour moi,
Une haine plus forte à tous deux fit la loi ;
Je ne voulus jamais lui donner d'espérance,
Qu'il[3] ne m'eût de mon père assuré la vengeance.

---

1. *Et toi... aussi :* reprise de l'exclamation de César frappé à mort par son fils adoptif Brutus : « Et toi aussi, mon fils ! »
2. *Le salaire :* la récompense ; voir vers 276 ; la même idée est souvent développée par Émilie.
3. *Qu'il :* sans qu'il.

Je la lui fis jurer ; il chercha des amis :
1580 Le ciel rompt le succès[1] que je m'étais promis,
Et je vous viens, Seigneur, offrir une victime,
Non pour sauver sa vie en me chargeant du crime :
Son trépas est trop juste après son attentat,
Et toute excuse est vaine en un crime d'État ;
1585 Mourir en sa présence, et rejoindre mon père,
C'est tout ce qui m'amène, et tout ce que j'espère.

AUGUSTE

Jusques à quand, ô ciel, et par quelle raison
Prendrez-vous contre moi des traits[2] dans ma maison ?
Pour ses débordements j'en ai chassé Julie[3] ;
1590 Mon amour en sa place a fait choix d'Émilie,
Et je la vois comme elle indigne de ce rang.
L'une m'ôtait l'honneur, l'autre a soif de mon sang ;
Et prenant toutes deux leur passion pour guide,
L'une fut impudique, et l'autre est parricide[4].
1595 Ô ma fille ! est-ce là le prix de mes bienfaits ?

ÉMILIE

Ceux de mon père en vous firent mêmes effets.

AUGUSTE

Songe avec quel amour j'élevai ta jeunesse.

ÉMILIE

Il éleva la vôtre avec même tendresse ;
Il fut votre tuteur, et vous son assassin ;
1600 Et vous m'avez au crime[5] enseigné le chemin :
Le mien d'avec le vôtre en ce point seul diffère,
Que votre ambition s'est immolé mon père,

---

1. *Rompt le succès :* empêche le résultat.
2. *Des traits :* des armes.
3. *Julie :* voir vers 638.
4. *Parricide :* le mot a ici son sens moderne, Émilie voulant tuer son père adoptif.
5. *Au crime :* vers le crime.

Et qu'un juste courroux, dont je me sens brûler,
À mon sang innocent voulait vous immoler.

LIVIE

1605 C'en est trop, Émilie ; arrête et considère
Qu'il t'a trop bien payé les bienfaits de ton père :
Sa mort, dont la mémoire allume ta fureur,
Fut un crime d'Octave et non de l'empereur.
Tous ces crimes d'État qu'on fait pour la couronne,
1610 Le ciel nous en absout alors qu'il nous la donne,
Et dans le sacré rang[1] où sa faveur l'a mis[2],
Le passé devient juste et l'avenir permis.
Qui peut y parvenir ne peut être coupable ;
Quoi qu'il ait fait ou fasse, il est inviolable :
1615 Nous lui devons nos biens, nos jours sont en sa main,
Et jamais on n'a droit sur ceux[3] du souverain.

ÉMILIE

Aussi, dans le discours que vous venez d'entendre,
Je parlais pour l'aigrir, et non pour me défendre.
Punissez donc, Seigneur, ces criminels appas
1620 Qui de vos favoris font d'illustres ingrats ;
Tranchez mes tristes jours pour assurer les vôtres.
Si j'ai séduit Cinna, j'en séduirai bien d'autres !
Et je suis plus à craindre, et vous plus en danger,
Si j'ai l'amour ensemble et le sang[4] à venger.

CINNA

1625 Que vous m'ayez séduit, et que je souffre encore
D'être déshonoré par celle que j'adore !
Seigneur, la vérité doit ici s'exprimer :
J'avais fait ce dessein avant que de l'aimer.
À mes plus saints désirs la trouvant inflexible,

---

1. *Sacré rang* : rang sacré (voir p. 188).
2. *L'a mis* : a mis Auguste.
3. *Ceux* : les jours.
4. *Le sang* : mon père.

1630 Je crus qu'à d'autres soins elle serait sensible :
Je parlai de son père et de votre rigueur,
Et l'offre de mon bras suivit celle du cœur.
Que la vengeance est douce à l'esprit d'une femme !
Je l'attaquai par là, par là je pris son âme ;
1635 Dans mon peu de mérite, elle me négligeait,
Et ne put négliger le bras qui la vengeait :
Elle n'a conspiré que par mon artifice ;
J'en[1] suis le seul auteur, elle n'est que complice.

ÉMILIE

Cinna, qu'oses-tu dire ? est-ce là me chérir
1640 Que de m'ôter l'honneur quand il me faut mourir ?

CINNA

Mourez, mais en mourant ne souillez point ma gloire.

ÉMILIE

La mienne se flétrit si César te veut croire.

CINNA

Et la mienne se perd, si vous tirez à vous[2]
Toute celle qui suit de si généreux coups.

ÉMILIE

1645 Eh bien ! prends-en ta part, et me laisse[3] la mienne ;
Ce serait l'affaiblir que d'affaiblir la tienne :
La gloire et le plaisir, la honte et les tourments,
Tout doit être commun entre de vrais amants.
Nos deux âmes, Seigneur, sont deux âmes romaines ;
1650 Unissant nos désirs, nous unîmes nos haines ;
De nos parents perdus le vif ressentiment[4]

---

1. *En :* de la conspiration.
2. *Si vous tirez à vous :* si vous voulez pour vous seule.
3. *Et me laisse :* et laisse-moi (voir p. 188).
4. *Le vif ressentiment :* le souvenir douloureux de la perte de nos parents, joint au désir de les venger ; Émilie veut venger son père Toranius, et Cinna, son grand-père Pompée.

Nous apprit nos devoirs en un même moment ;
En ce noble dessein nos cœurs se rencontrèrent ;
Nos esprits généreux ensemble le formèrent ;
1655 Ensemble nous cherchons l'honneur d'un beau trépas :
Vous vouliez nous unir, ne nous séparez pas.

AUGUSTE

Oui, je vous unirai, couple ingrat et perfide,
Et plus mon ennemi qu'Antoine ni Lépide[1] ;
Oui, je vous unirai, puisque vous le voulez :
1660 Il faut bien satisfaire aux feux dont vous brûlez,
Et que tout l'univers, sachant ce qui m'anime,
S'étonne[2] du supplice aussi bien que du crime.

SCÈNE 3. AUGUSTE, LIVIE, CINNA, MAXIME, ÉMILIE, FULVIE.

AUGUSTE

Mais enfin le ciel m'aime et ses bienfaits nouveaux[3]
Ont enlevé Maxime à la fureur des eaux.
1665 Approche, seul ami que j'éprouve fidèle.

MAXIME

Honorez moins, Seigneur, une âme criminelle.

AUGUSTE

Ne parlons plus de crime après ton repentir,
Après que du péril tu m'as su garantir :
C'est à toi que je dois et le jour et l'empire.

---

1. *Qu'Antoine ni Lépide :* que ne furent Antoine ou Lépide.
2. *S'étonne :* soit stupéfait.
3. *Nouveaux :* inattendus.

MAXIME

1670 De tous vos ennemis connaissez mieux le pire.
Si vous régnez encor, Seigneur, si vous vivez,
C'est ma jalouse rage à qui[1] vous le devez.
Un vertueux remords n'a point touché mon âme ;
Pour perdre mon rival j'ai découvert sa trame ;
1675 Euphorbe vous a feint[2] que je m'étais noyé,
De crainte qu'après moi vous n'eussiez envoyé[3] :
Je voulais avoir lieu[4] d'abuser Émilie,
Effrayer son esprit, la tirer d'Italie,
Et pensais la résoudre à cet enlèvement
1680 Sous l'espoir du retour[5] pour venger son amant ;
Mais au lieu de goûter ces grossières amorces[6],
Sa vertu combattue a redoublé ses forces.
Elle a lu dans mon cœur ; vous savez le surplus[7],
Et je vous en ferais des récits superflus.
1685 Vous voyez le succès de mon lâche artifice.
Si pourtant quelque grâce est due à mon indice,
Faites périr Euphorbe au milieu des tourments,
Et souffrez que je meure aux yeux de ces amants.
J'ai trahi mon ami, ma maîtresse, mon maître[8],
1690 Ma gloire, mon pays, par l'avis de ce traître,
Et croirai toutefois mon bonheur infini,
Si je puis m'en punir après l'avoir puni.

AUGUSTE

En est-ce assez, ô ciel ! et le sort, pour me nuire,
A-t-il quelqu'un des miens qu'il veuille encor séduire ?

1. *C'est... à qui :* c'est à ma jalouse rage que.
2. *A feint :* a raconté mensongèrement.
3. *Envoyé :* envoyé quelqu'un pour m'arrêter.
4. *Avoir lieu :* avoir un moyen.
5. *Sous l'espoir du retour :* en lui laissant espérer qu'elle reviendrait.
6. *Amorces :* pièges.
7. *Surplus :* reste.
8. *J'ai trahi... maître :* voir vers 1402.

1695 Qu'il joigne à ses efforts le secours des enfers :
Je suis maître de moi comme de l'univers ;
Je le suis, je veux l'être. Ô siècles, ô mémoire[1],
Conservez à jamais ma dernière victoire[2] !
Je triomphe aujourd'hui du plus juste courroux
1700 De qui[3] le souvenir puisse aller jusqu'à vous.
Soyons amis, Cinna, c'est moi qui t'en[4] convie :
Comme à mon ennemi je t'ai donné la vie[5],
Et malgré la fureur de ton lâche destin[6],
Je te la donne encor comme à mon assassin.
1705 Commençons un combat qui montre par l'issue
Qui l'aura mieux de nous ou donnée ou reçue.
Tu trahis mes bienfaits, je les veux redoubler ;
Je t'en avais comblé, je t'en veux accabler :
Avec cette beauté[7] que je t'avais donnée,
1710 Reçois le consulat pour la prochaine année.
Aime Cinna, ma fille, en cet illustre rang,
Préfères-en la pourpre[8] à celle de mon sang ;
Apprends sur mon exemple à vaincre ta colère :
Te rendant[9] un époux, je te rends plus qu'un père.

ÉMILIE

1715 Et je me rends[10], Seigneur, à ces hautes bontés ;
Je recouvre la vue auprès de leurs clartés :
Je connais[11] mon forfait, qui me semblait justice ;

---

1. *Mémoire* : souvenir gardé par la postérité.
2. *Victoire* : sur moi-même et sur les traîtres.
3. *De qui* : dont.
4. *En* : à être amis.
5. *La vie* : même idée qu'au vers 1446.
6. *Destin* : projet ; le premier sens de « destiner » était « projeter ».
7. *Cette beauté* : Émilie.
8. *La pourpre* : la bande pourpre qui bordait la toge du consul.
9. *Te rendant* : en te rendant.
10. *Je me rends* : glissement de sens par rapport au vers 1714.
11. *Je connais* : je reconnais.

AUGUSTE. *Soyons amis, Cinna...* (acte V, scène 3).
Illustration pour une édition de *Cinna*.
Gravure de Hubert Gravelot (1699-1773), B.N.

Et, ce que n'avait pu la terreur du supplice,
Je sens naître en mon âme un repentir puissant,
1720 Et mon cœur en secret me dit qu'il y consent.
Le ciel a résolu votre grandeur suprême ;
Et pour preuve, Seigneur, je n'en veux que moi-même :
J'ose avec vanité me donner cet éclat[1],
Puisqu'il change mon cœur, qu'il veut changer l'État.
1725 Ma haine va mourir, que[2] j'ai crue immortelle ;
Elle est morte[3], et ce cœur devient sujet fidèle ;
Et prenant désormais cette haine en horreur,
L'ardeur de vous servir succède à sa fureur.

CINNA

Seigneur, que vous dirai-je après que nos offenses
1730 Au lieu de châtiments trouvent des récompenses ?
Ô vertu sans exemple ! ô clémence qui rend
Votre pouvoir plus juste, et mon crime plus grand !

AUGUSTE

Cesse d'en retarder un oubli magnanime,
Et tous deux avec moi faites grâce à Maxime :
1735 Il nous a trahis tous ; mais ce qu'il a commis
Vous conserve innocents et me rend mes amis.
(À Maxime.)
Reprends auprès de moi ta place accoutumée ;
Rentre dans ton crédit et dans ta renommée ;
Qu'Euphorbe de tous trois ait sa grâce à son tour ;
1740 Et que demain l'hymen couronne leur amour.
Si tu l'aimes[4] encor, ce sera ton supplice.

---

1. *Cet éclat :* cette preuve éclatante, à savoir le vers suivant : le ciel transforme l'État puisque le cœur d'Émilie est lui aussi transformé.
2. *Que :* séparé de son antécédent « haine » (voir p. 188).
3. *Est morte :* changement de temps par rapport à « va mourir », traduisant le changement d'Émilie.
4. *Tu l'aimes :* tu aimes Émilie.

MAXIME

Je n'en murmure point, il a trop de justice ;
Et je suis plus confus, Seigneur, de vos bontés
Que je ne suis jaloux du bien que vous m'ôtez.

Michel Etcheverry (Auguste), Catherine Hiégel (Émilie)
et Francis Huster (Cinna).
Mise en scène de Simon Eine. Théâtre de l'Odéon, 1975.

CINNA

1745 Souffrez que ma vertu dans mon cœur rappelée
Vous consacre une foi lâchement violée,
Mais si ferme à présent, si loin de chanceler
Que la chute du ciel ne pourrait l'ébranler.
Puisse le grand moteur[1] des belles destinées,
1750 Pour prolonger vos jours, retrancher nos années ;
Et moi, par un bonheur dont chacun soit jaloux,
Perdre pour vous cent fois ce que je tiens de vous.

LIVIE

Ce n'est pas tout, Seigneur : une céleste flamme
D'un rayon prophétique illumine mon âme.
1755 Oyez[2] ce que les dieux vous font savoir par moi ;
De votre heureux destin c'est l'immuable loi.
Après cette action vous n'avez rien à craindre :
On portera le joug désormais sans se plaindre ;
Et les plus indomptés, renversant leurs projets,
1760 Mettront toute leur gloire à mourir vos sujets ;
Aucun lâche dessein, aucune ingrate envie
N'attaquera le cours d'une si belle vie ;
Jamais plus d'assassins ni de conspirateurs :
Vous avez trouvé l'art d'être maître des cœurs.
1765 Rome, avec une joie et sensible et profonde,
Se démet en vos mains de l'empire du monde ;
Vos royales vertus lui vont trop enseigner
Que son bonheur consiste à vous faire régner :
D'une si longue erreur pleinement affranchie[3],
1770 Elle n'a plus de vœux que pour la monarchie,
Vous prépare déjà des temples, des autels,
Et le ciel une place entre les immortels[4] ;

1. *Le grand moteur* : périphrase désignant Dieu.
2. *Oyez* : entendez ; ancien impératif archaïque soulignant le caractère prophétique des paroles.
3. *Affranchie* : libérée.
4. *Immortels* : après leur mort, Auguste et ses successeurs furent placés au rang des dieux (apothéose) et honorés comme tels.

Et la postérité, dans toutes les provinces[1],
Donnera votre exemple aux plus généreux princes.

AUGUSTE

1775 J'en accepte l'augure[2], et j'ose l'espérer :
Ainsi toujours les dieux vous daignent inspirer !
Qu'on redouble demain les heureux sacrifices
Que nous leur offrirons sous de meilleurs auspices[3],
Et que vos conjurés entendent publier
1780 Qu'Auguste a tout appris et veut tout oublier[4].

D. D. Petrus Corneille

1. *Les provinces* : les différentes parties de l'Empire romain.
2. *L'augure* : le présage.
3. *Auspices* : présages tirés, chez les Romains, du vol et du comportement des oiseaux ; ici : sous de meilleurs présages.
4. *Oublier* : mot de la fin justifiant le sujet de « la clémence d'Auguste ».

Acte V Scènes 2 et 3

LA SCÈNE 2

1. Faites le plan de la scène 2. Montrez comment, après le coup de théâtre du début, la scène s'infléchit peu à peu vers le romanesque.

2. Quels changements notez-vous dans l'attitude d'Auguste par rapport à la scène précédente. Pourquoi reste-t-il longtemps silencieux (v. 1598-1656) ? Que représente pour lui la trahison d'Émilie ? Comment interpréter les vers 1657-1662 ?

3. En quoi Livie est-elle la seule à replacer le débat sur le plan politique ? Définissez sa philosophie politique dans les vers 1605-1616.

DEUX ÂMES ROMAINES FACE AU POUVOIR

4. Étudiez le vocabulaire de l'honneur et le vocabulaire de l'amour qui font de Cinna un héros romanesque (sc. 3).

5. Montrez l'habileté des vers 1596-1604, qui replacent Auguste en face d'Octave. Y a-t-il, selon vous, chez Émilie, de la grandeur ou de la mesquinerie à vouloir être seule coupable ?

6. Que pensez-vous de l'arithmétique de la gloire à laquelle se livrent les deux héros dans la scène 3 ?

7. Quels mots sont répétés dans les vers 1649-1662 ? Pourquoi ?

8. À quoi s'attend le spectateur en entendant les deux derniers vers prononcés par Auguste (v . 1779-1780) ?

L'ÉVOLUTION DE L'ACTION

9. La composition de la scène 3 : montrez qu'Auguste en est le personnage principal, mais que l'intérêt se porte tour à tour sur chacun des personnages.

10. Jusqu'à quel vers l'intérêt dramatique et le suspense sont-ils ménagés ?

11. Contrairement à ce que pensait Voltaire, le retour de Maxime était-il nécessaire à l'action ? Comparez les vers 1670-1692 aux vers 1391-1424 : Maxime a-t-il changé ? En quoi est-il toujours le même ?

LES PERSONNAGES ET LEUR EXPRESSION

12. Auguste. « Le voilà maintenant, humiliation suprême, trahi par le traître même », remarque Doubrovsky : comment cette dernière révélation oblige-t-elle Auguste à se dépasser ? Le vers 1696 est-il la clef des tourments d'Auguste ? En quoi ? Étudiez la noblesse du ton (v. 1701-1714) et le ton plus familier qui lui succède, ainsi que la métaphore du combat. Pourquoi Auguste a-t-il pardonné ?

13. La conversion d'Émilie. Pourquoi ne perd-elle rien de sa grandeur dans son revirement ? Quelle est l'importance du verbe « connaître » (v. 1717). Étudiez l'opposition des temps dans les vers 1715-1728 : qu'exprime-t-elle ?

14. Montrez que, sur tous les plans, les problèmes qui se posaient à Cinna sont résolus. En conséquence, son style devient hyperbolique : cherchez-en des exemples.

15. Citez les termes soulignant le caractère prophétique des paroles de Livie (v. 1753-1774) ; distinguez les termes adaptés à l'Empire romain de ceux qui font plutôt penser à un pouvoir royal du XVIIe siècle ; relevez les termes religieux plaçant Auguste sous la protection des dieux. Montrez l'utilité de cette tirade.

Questions sur l'ensemble de l'acte V

1. Montrez que l'acte V est centré sur le personnage d'Auguste, confronté successivement à trois épreuves.
2. Commentez l'opinion de Serge Doubrovsky : « Auguste ne pardonne pas par charité ou par magnanimité au sens moderne, mais par « générosité » au sens du XVIIe siècle, c'est-à-dire par orgueil aristocratique, pour prouver, à ses yeux, comme à ceux des autres, sa propre supériorité. »
3. Étudiez l'habileté dramatique dans la composition de l'acte V.
4. Analysez le cheminement psychologique de Cinna.
5. Que pensez-vous du revirement d'Émilie dans la scène finale ?
6. Quels sont les sentiments du spectateur à l'égard de Maxime ?
7. Pourquoi Livie est-elle un personnage indispensable à la fin de la pièce ?
8. Un dénouement heureux est-il normal dans une tragédie ?
9. Comparez la fin de *Cinna* avec la fin de *Polyeucte*.

Examen[1]

Ce poème a tant d'illustres suffrages[2] qui lui donnent le premier rang parmi les miens, que je me ferais trop d'importants ennemis si j'en disais du mal : je ne le[3] suis pas assez de moi-même pour chercher des défauts où ils[4] n'en ont point voulu voir, et accuser le jugement qu'ils en ont fait, pour obscurcir la gloire qu'ils m'en ont donnée. Cette approbation si forte et si générale vient sans doute de ce que la vraisemblance[5] s'y trouve si heureusement conservée aux endroits où la vérité lui manque[6], qu'il n'a jamais besoin de recourir au nécessaire[7]. Rien n'y contredit l'histoire, bien que beaucoup de choses y soient ajoutées ; rien n'y est violenté par les incommodités de la représentation, ni par l'unité de jour, ni par celle de lieu.

Il est vrai qu'il s'y rencontre une duplicité de lieu particulier[8]. La moitié de la pièce se passe chez Émilie, et l'autre dans le

---

1. *Examen* : les examens des pièces de Corneille parurent en 1660, et répondaient en particulier aux critiques de l'abbé d'Aubignac, auteur de *la Pratique du théâtre* (1657).
2. *Suffrages* : marques d'approbation.
3. *Le* : ennemi.
4. *Ils* : les admirateurs de *Cinna*.
5. *Vraisemblance* : mot capital pour la tragédie du XVIIe siècle ; on a souvent reproché à Corneille le manque de vraisemblance de ses pièces, même si elles respectaient la vérité historique.
6. *Aux endroits où la vérité lui manque* : dans les passages imaginés.
7. *Recourir au nécessaire* : alléguer la nécessité de l'intrigue.
8. *Lieu particulier* : dans sa *Pratique du théâtre* (1657), d'Aubignac distinguait le « lieu d'ensemble » (ici, ce serait le palais d'Auguste) et le « lieu particulier » (ici, il y en a deux : l'appartement d'Émilie et le cabinet d'Auguste).

cabinet d'Auguste. J'aurais été ridicule si j'avais prétendu que cet empereur délibérât avec Maxime et Cinna s'il quitterait l'empire, ou non, précisément dans la même place où ce dernier vient de rendre compte à Émilie de la conspiration qu'il a formée contre lui. C'est ce qui m'a fait rompre la liaison des scènes au quatrième acte, n'ayant pu me résoudre à faire que Maxime vînt donner l'alarme à Émilie de la conjuration découverte au lieu même où Auguste en venait de recevoir l'avis par son ordre, et dont il ne faisait que de sortir avec tant d'inquiétude et d'irrésolution. C'eût été une impudence extraordinaire, et tout à fait hors du vraisemblable, de se présenter dans son cabinet un moment après qu'il lui avait fait révéler le secret de cette entreprise et porter la nouvelle de sa fausse mort. Bien loin de pouvoir surprendre Émilie par la peur de se voir arrêtée, c'eût été se faire arrêter lui-même et se précipiter dans un obstacle invincible[1] au dessein qu'il voulait exécuter. Émilie ne parle donc pas où parle Auguste, à la réserve du cinquième acte ; mais cela n'empêche pas qu'à considérer tout le poème ensemble[2], il n'aye son unité de lieu, puisque tout s'y peut passer, non seulement dans Rome ou dans un quartier de Rome, mais dans le seul palais d'Auguste, pourvu que vous y vouliez donner un appartement à Émilie qui soit éloigné du sien.

Le compte que Cinna lui rend de sa conspiration certifie ce que j'ai dit ailleurs[3], que, pour faire souffrir une narration ornée[4], il faut que celui qui la fait et celui qui l'écoute aient l'esprit assez tranquille, et s'y plaisent assez pour lui prêter toute la patience qui lui est nécessaire. Émilie a de la joie d'apprendre de la bouche de son amant avec quelle chaleur

1. *Invincible* : qui s'oppose à.
2. *Tout le poème ensemble* : toute la tragédie dans son ensemble.
3. *Ailleurs* : dans l'Examen de *Médée*, précisément.
4. *Une narration ornée* : un récit embelli par des figures de rhétorique.

il a suivi ses intentions ; et Cinna n'en a pas moins de lui pouvoir donner de si belles espérances de l'effet qu'elle en souhaite : c'est pourquoi, quelque longue que soit cette narration, sans interruption aucune, elle n'ennuie point. Les ornements de rhétorique dont j'ai tâché de l'enrichir ne la font point condamner de trop d'artifice, et la diversité de ses figures ne fait point regretter le temps que j'y perds ; mais si j'avais attendu à la commencer qu'Évandre eût troublé ces deux amants par la nouvelle qu'il leur apporte, Cinna eût été obligé de s'en taire ou de la conclure en six vers, et Émilie n'en eût pu supporter davantage.

C'est ici la dernière pièce où je me suis pardonné de longs monologues ; celui d'Émilie ouvre le théâtre, Cinna en fait un au troisième acte, et Auguste et Maxime chacun un au quatrième.

Comme les vers d'*Horace* ont quelque chose de plus net et de moins guindé pour les pensées que ceux du *Cid,* on peut dire que ceux de cette pièce ont quelque chose de plus achevé que ceux d'*Horace,* et qu'enfin la facilité de concevoir le sujet, qui n'est ni trop chargé d'incidents, ni trop embarrassé des récits de ce qui s'est passé avant le commencement de la pièce, est une des causes sans doute de la grande approbation qu'il a reçue. L'auditeur aime à s'abandonner à l'action présente et à n'être point obligé, pour l'intelligence[1] de ce qu'il voit, de réfléchir sur ce qu'il a déjà vu, et de fixer sa mémoire sur les premiers actes, cependant que les derniers sont devant ses yeux. C'est l'incommodité des pièces embarrassées[2], qu'en termes de l'art on nomme *implexes,* par un mot emprunté du latin, telles que sont *Rodogune* et *Héraclius.* Elle ne se rencontre pas dans les simples ; mais comme celles-

1. *L'intelligence* : la compréhension.
2. *Embarrassées* : dont l'intrigue est compliquée.

là ont sans doute besoin de plus d'esprit[1] pour les imaginer, et de plus d'art pour les conduire, celles-ci, n'ayant pas le même secours du côté du sujet, demandent plus de force de vers, de raisonnement, et de sentiments pour les soutenir[2].

1. *Esprit :* esprit d'invention.
2. *Soutenir :* après la lecture de l'Examen de *Cinna*, on pourra en dégager le plan : succès de la pièce assuré par sa vraisemblance et par le respect des règles ; justification de l'unité de lieu ; étude des narrations ornées ; les monologues ; le style ; la clarté du sujet dans *Cinna*, opposé aux pièces dites « implexes ».

La conjuration de Cinna

Corneille plaça en tête de l'édition originale de *Cinna* cet extrait des *Essais,* où Montaigne traduit à peu près littéralement un passage du *De clementia* de Sénèque.

L'empereur Auguste, estant en la Gaule, receut certain advertissement d'une coniuration que luy brassoit[1] L. Cinna : il delibera de s'en venger, et manda[2] pour cet effect au lendemain le conseil de ses amis. Mais la nuict d'entre deux, il la passa avecques grande inquietude, considérant qu'il avoit à faire mourir un ieune homme de bonne maison et nepveu[3] du grand Pompeius, et produisoit en se plaignant plusieurs divers discours : « Quoy doncques, disoit il, sera il vray que ie demeureray en crainte et en alarme, et que ie lairray[4] mon meurtrier se promener ce pendant[5] à son ayse ? S'en ira il quitte, ayant assailly ma teste, que i'ay sauvee de tant de guerres civiles, de tant de battailles par mer et par terre, et aprez avoir estably la paix universelle du monde ? sera il absoult, ayant deliberé non de me meurtrir[6] seulement, mais de me sacrifier ? » car la coniuration estoit faicte de le tuer comme il feroit quelque sacrifice. Aprez cela, s'estant tenu coy[7] quelque espace de temps, il recommenceoit d'une voix plus forte, et s'en prenoit à soy mesme : « Pourquoy vis tu,

---

1. *Brassoit :* préparait.
2. *Manda :* fit venir.
3. *Nepveu :* petit-fils.
4. *Lairray :* laisserai.
5. *Ce pendant :* pendant ce temps.
6. *Meurtrir :* tuer.
7. *Coy :* tranquille.

s'il importe à tant de gents que tu meures ? N'y aura il point de fin à tes vengeances et à tes cruautez ? Ta vie vault elle que tant de dommage se face pour la conserver ? » Livia, sa femme, le sentant en ces angoisses : « Et les conseils des femmes y seront ils receus ? lui dict elle : fay ce que font les medecins ; quand les receptes accoustumees ne peuvent servir, ils en essayent de contraires. Par severité, tu n'as iusques à cette heure rien proufité[1] : Lepidus a suyvi Salvidienus ; Murena, Lepidus ; Caepio, Murena ; Egnatius, Caepio : commence à experimenter comment te succederont[2] la doulceur et la clemence. Cinna est convaincu[3], pardonne-luy ; de te nuire desormais, il ne pourra, et proufitera à ta gloire. » Auguste feut bien ayse d'avoir trouvé un advocat de son humeur[4] ; et ayant remercié sa femme, et contremandé ses amis qu'il avoit assignez au conseil, commanda qu'on feist venir à luy Cinna tout seul ; et ayant faict sortir tout le monde de sa chambre, et faict donner un siege à Cinna, il luy parla en cette manière : « En premier lieu, ie te demande, Cinna, paisible audience[5] ; n'interromps pas mon parler : ie te donray[6] temps et loisir d'y respondre. Tu sçais, Cinna, que t'ayant prins[7] au camp de mes ennemis, non seulement t'estant faict mon ennemy, mais estant nay tel, ie te sauvay, ie te meis[8] entre mains touts tes biens, et t'ai enfin rendu si accommodé et si aysé, que les victorieux sont envieux de la condition du vaincu : l'office du sacerdoce que tu me

1. *Rien proufité* : tiré aucun avantage.
2. *Comment te succederont* : quel sera le résultat de.
3. *Convaincu* : reconnu coupable.
4. *De son humeur* : de son avis.
5. *Paisible audience* : d'écouter en restant tranquille.
6. *Ie te donray* : je te donnerai.
7. *Prins* : pris.
8. *Ie te meis* : je te mis.

demandas, ie te l'octroyay, l'ayant refusé à d'aultres, desquels les peres avoyent tousiours combattu avecques moy. T'ayant si fort obligé, tu as entreprins[1] de me tuer. » A quoy Cinna s'estant escrié qu'il estoit bien esloingné d'une si meschante pensee : « Tu ne me tiens pas, Cinna, ce que tu m'avois promis, suyvit Auguste ; tu m'avois assuré que ie ne seroys pas interrompu. Ouy, tu as entreprins de me tuer en tel lieu, tel iour, en telle compaignie, et de telle façon. » Et le veoyant transi de ces nouvelles, et en silence, non plus pour tenir le marché[2] de se taire, mais de la presse de sa conscience : « Pourquoy, adiousta il, le fais-tu ? Est ce pour estre empereur ? Vrayement il va bien mal à la chose publicque, s'il n'y a que moy qui t'empesche d'arriver à l'empire. Tu ne peulx pas seulement deffendre ta maison, et perdis dernierement un procez par la faveur d'un simple libertin[3]. Quoy ! n'as tu pas moyen ny pouvoir en aultre chose qu'à entreprendre[4] Cesar ? Ie le quitte[5], s'il n'y a que moy qui empesche tes esperances. Penses tu que Paulus, que Fabius, que les Cosseens et Serviliens te souffrent[6], et une si grande troupe de nobles, non seulement nobles de nom, mais qui par leur vertu honorent leur noblesse ? » Aprez plusieurs aultres propos (car il parla à luy plus de deux heures entieres) : « Or va, luy dict il, ie te donne, Cinna, la vie à traistre et à parricide, que ie te donnay aultrefois à ennemy ; que l'amitié commence de ce iourd'huy entre nous ; essayons qui de nous deux de meilleure foy, moy t'aye donné ta vie, ou tu l'ayes receue. » Et se despartit d'avecques luy en cette

1. *Entreprins* : entrepris.
2. *Le marché* : l'engagement.
3. *Libertin* : affranchi.
4. *Entreprendre* : attaquer.
5. *Ie le quitte* : j'abandonne.
6. *Souffrent* : supportent.

maniere. Quelque temps aprez, il luy donna le consulat, se plaignant de quoy il ne luy avoit osé demander. Il l'eut depuis pour fort amy, et feut seul faict par luy héritier de ses biens. Or depuis cet accident[1], qui adveint à Auguste au quarantiesme an de son aage, il n'y eut iamais de coniuration ny d'entreprinse contre luy, et receut une iuste recompense de cette sienne clemence.

De clementia, Sénèque (2 av. J.-C.-65 apr. J.-C.),
traduction de Montaigne (1533-1592),
dans les *Essais* (1580), livre I, chap. XXIII.

1. *Accident* : événement.

Documentation thématique

Index des thèmes de la pièce

Parricide : v. 251, 597, 817, 1182, 1594.

Républicain (idéal) : se reporter à **liberté**, **tyrannie** (son contraire) et **vertu**.

Sang : 1. *famille, origine :* v. 60, 84, 238, 702, 1314, 1444, 1538, 1539, 1546, 1604. 2. *vie :* v. 445, 603, 779, 890, 1147, 1592. 3. *qui coule, physique :* v. 24, 168, 196, 315, 360, 431, 558, 1041, 1059, 1132, 1162, 1167, 1180, 1234, 1422, 1457, 1624, 1712 (sens généralement associé aux guerres civiles).

Trahison. *Trahir :* v. 735, 737-738, 759, 778, 1034, 1099, 1159, 1193, 1402, 1543, 1689, 1707, 1735. *Trahison :* v. 880, 885, 1097, 1145, 1151, 1550. *Traître :* v. 957, 1195, 1690. *Traîtresse :* v. 1241, 1477.

Tyrannie. *Tyran :* v. 108, 145, 188, 222, 255, 424, 430, 485, 663, 690, 835, 845, 850, 933, 1012, 1023, 1038, 1051, 1052, 1307, 1404. *Tyrannie :* v. 253, 449, 649, 974, 1013. *Tyranniser :* v. 1054. *Tyrannique :* v. 670.

Vengeance. *Vengeance :* v. 1, 778, 844, 877, 1187, 1578, 1633. *Venger :* v. 36, 41, 60, 83, 92, 104, 107, 152, 299, 338, 432, 652, 661, 695, 711, 1006, 1018, 1050, 1254, 1310, 1336, 1338, 1446, 1548, 1624, 1636, 1680. *Vengeur :* v. 225.

Vertu : v. 132, 312, 418, 444, 466, 478, 488, 684, 833, 866, 969, 1042, 1242, 1244, 1248, 1292, 1300, 1314, 1345, 1357, 1375, 1394, 1416, 1682, 1731, 1745, 1767.

La vengeance féminine dans le théâtre baroque et classique

Le thème de la vengeance, si fréquent dans la tragédie classique et, en particulier, chez Corneille, n'est pas apparu brusquement avec la tragi-comédie du *Cid*. Les auteurs classiques l'ont hérité de leurs prédécesseurs, les premiers auteurs tragiques français que l'on redécouvre aujourd'hui avec bonheur.

Dans la seconde moitié du XVIe siècle, les érudits relisent les tragédies latines de Sénèque (Ier siècle apr. J.-C.), violentes et tourmentées, et conçoivent l'idée d'un théâtre tragique écrit en français, mais imité des Anciens, en particulier de Sénèque. La représentation de *Cléopâtre captive* de Jodelle (1532-1573) en 1552 devant la cour est considérée comme décisive.

La relecture de *la Poétique* du philosophe grec Aristote (384-322 av. J.-C.) et de *l'Art poétique* du poète latin Horace (65-8 av. J.-C.) inspire de nouvelles règles dramatiques proches de celles de la tragédie classique : resserrement du temps, vraisemblance, noblesse du style et des personnages, division en cinq actes.

Cependant, l'esprit qui anime ces tragédies est très différent de l'esprit du théâtre classique : le pathétique inspiré de Sénèque, la violence des situations et des personnages, le caractère statique des récitatifs commentant les catastrophes sont significatifs de ce qu'on appelle le théâtre baroque.

La vengeance dans le théâtre baroque

Un thème domine ce théâtre : c'est celui de la vengeance. Ainsi, la dernière et meilleure pièce de Robert Garnier (vers

1544-1590), *les Juives* (1583), est l'histoire de la vengeance exercée par le roi Nabuchodonosor à l'encontre du dernier roi de Juda, Sédécie, mis sur le trône par Nabuchodonosor et qui l'a trahi. Après avoir vaincu Sédécie, le cruel roi médite et savoure longuement son projet de vengeance :

« Ils mourront, ils mourront, et s'il en reste aucun
Que je veuille exempter du supplice commun,
Ce sera pour son mal : je ne laisserai vivre
Que ceux que je voudrai plus aigrement poursuivre
Afin qu'ils meurent vifs, et qu'ils vivent mourants,
Une présente mort tous les jours endurants. »

(vers 1365 et suivants)

Le châtiment sera terrible : égorgement du grand pontife et des jeunes princes devant leur père Sédécie dont on crève finalement les yeux. Ces outrances dépassent de loin tous les excès d'horreur que l'on a pu reprocher à Corneille...

Alexandre Hardy (vers 1570-1632) domine le théâtre français au début du XVIIe siècle. Il écrivit plus de 500 pièces (nous en avons conservé 34), qui mettent en scène des passions effrénées, à travers des flots de sang et des monceaux de cadavres.

Dans ce monde noir, la vengeance occupe une place de prédilection, comme le laissent entrevoir les titres de plusieurs œuvres : *Lucrèce ou l'Adultère puni, Timoclée ou la Juste Vengeance, Alcméon ou la Vengeance féminine.*

L'exemple de *Timoclée* est particulièrement significatif. (On trouvera cet extrait dans le livre de Jacques Morel, *la Tragédie*, A. Colin.)

Cette pièce se déroule pendant le siège de Thè
Alexandre le Grand. Timoclée, dame vertueuse de
violentée par le capitaine thrace Hypparque. P
elle persuade Hypparque de chercher un t

enfoui dans un puits, puis elle l'assomme, une fois qu'il y est descendu :

HYPPARQUE, *assommé dans le puits*

Traîtresse, que fais-tu ? à l'aide ! on m'assassine !
Soldats, à moi ! quelqu'un !

PHAENISSE, *confidente de Timoclée*

Ô vengeance divine !
Ô mémorable effet d'un féminin courroux !
Son homme dans le puits elle opprime de coups.
Hé ! Madame, veuillez un peu plus de retenue.

TIMOCLÉE

Admire seulement la victoire obtenue
Sur ce monstre puni de sa brutalité,
Sur ce monstre puni de sa crédulité ;
Tu le vois dedans l'eau, capable sépulture,
Éteindre désormais sa vie et sa luxure.
L'avare insatiable après avoir volé
Mon principal trésor en l'honneur violé,
Présumait d'un trésor établir sa fortune.
Avise donc, sans plus contester, importune,
À joindre ton secours, étouffant ce mâtin,
De qui l'ombre déjà passe chez le destin.

PHAENISSE

Tel spectacle d'horreur me coupe la parole,
Et je ne me crois plus qu'une insensible idole :
Fuyons, hélas ! fuyons, de peur qu'un malheureux
Surprises, ne nous tire en son sort rigoureux.
En ce dernier sanglot qui termine sa vie,
Votre vengeance doit être plus qu'assouvie :
Les siens qui ne faudront de le venir chercher,
Auxquels longtemps ce meurtre on ne saurait cacher,
Nous perdent à vouloir lâchement outrageuses
[illegible]vers un qui n'est plus paraître courageuses :
[illegible]e haine qui dure au-delà du trépas
[illegible] sa cruauté d'un injuste compas.

(v. 2147-2175)

Corneille et le thème de la vengeance

Garnier, Hardy ou encore Rotrou (1609-1650), contemporain et rival de Corneille, ont illustré ce thème de la vengeance que Corneille fait entrer dans le théâtre classique.

Médée

Première tragédie de Corneille, *Médée* met en scène une héroïne animée par l'esprit de vengeance : bafouée par son mari Jason, qui lui préfère la coquette Créüse, elle n'hésite pas à tuer ses propres enfants pour se venger de Jason, comme elle le faisait dans la légende et dans la pièce de Sénèque imitée par Corneille :

MÉDÉE

Ce poignard que tu vois vient de chasser leurs âmes
Et noyer dans leur sang les restes de nos flammes.
Heureux père et mari, ma fuite et leur tombeau
Laissent la place vide à ton hymen nouveau.
Réjouis-t'en, Jason, et va posséder Créüse :
Tu n'auras plus ici personne qui t'accuse,
Ces gages de nos feux ne feront plus pour moi
De reproches secrets à ton manque de foi.

(v. 1541-1548)

On remarquera cependant que Corneille a atténué l'horreur du modèle qu'il empruntait à Sénèque, suivant ainsi à l'évolution du goût qui ne supporte plus les horreurs du théâtre baroque, préférant un monde plus policé et raffiné.

Le Cid

Cette pièce est basée sur une double vengeance : celle d[on]
Diègue demandant à son fils Rodrigue de tuer do[n Go]mès
qui a bafoué son honneur ; celle de Chimène, f[ille de don]
Gomès, qui, malgré son amour pour Rodrigu[e]

mort de ce dernier qui vient de tuer son père en duel. La voici criant vengeance auprès du roi, don Fernand :

CHIMÈNE

Sire, de trop d'honneur ma misère est suivie.
Je vous l'ai déjà dit, je l'ai trouvé sans vie ;
Son flanc était ouvert ; et pour mieux m'émouvoir,
Son sang sur la poussière écrivait mon devoir
Ou plutôt sa valeur en cet état réduite
Me parlait par sa plaie et hâtait ma poursuite
Et pour se faire entendre au plus juste des rois,
Par cette triste bouche elle empruntait ma voix.
Sire, ne souffrez pas que sous votre puissance
Règne devant vos yeux une telle licence,
Que les plus valeureux avec impunité
Soient exposés aux coups de la témérité ;
Qu'un jeune audacieux triomphe de leur gloire,
Se baigne dans leur sang et brave leur mémoire.
Un si vaillant guerrier qu'on vient de vous ravir
Éteint, s'il n'est vengé, l'ardeur de vous servir.
Enfin, mon père est mort, j'en demande vengeance,
Plus pour votre intérêt que pour mon allégeance.
Vous perdez en la mort d'un homme de son rang :
Vengez-la par une autre et le sang par le sang.
Immolez, non à moi, mais à votre couronne,
Mais à votre grandeur, mais à votre personne,
Immolez, dis-je, Sire, au bien de tout l'État
Tout ce qu'enorgueillit un si haut attentat.

(v. 673-696)

Tragi-comédie, la pièce se terminera bien : Rodrigue sera pardonné et pourra, plus tard, épouser Chimène, qui n'a jamais cessé de l'aimer.

Le thème de la vengeance, moteur de l'action dans *Cinna*, se trouve encore dans de nombreuses pièces de Corneille. Citons *La mort de Pompée, Théodore, Rodogune, Héraclius, Sertorius...* En [illegible]nt, Corneille se montre l'héritier des auteurs baroques qui l'ont précédé, dont il atténue cependant toujours les excès. Combien de fois lui a-t-on reproché les outrances de ses créatures féminines ! Encore faudrait-il les comparer avec les personnages mis en scène par ses devanciers et certains de ses contemporains...

La vengeance racinienne

Racine s'est, lui aussi, emparé du thème de la vengeance, qui trouve son épanouissement dans *Phèdre* (jouée en 1677). Cependant, la vengeance n'est plus une passion noble comme chez Corneille, mais l'expression de la faiblesse humaine incapable de se dépasser et de se maîtriser.

Phèdre, croyant que son mari Thésée est mort, avoue à Hippolyte, le fils de Thésée, l'amour incestueux qu'elle éprouve pour lui. Mais Hippolyte la repousse. Cependant, Thésée n'est pas mort et revient. Bouleversée, Phèdre laisse sa nourrice Œnone accuser faussement Hippolyte d'avoir voulu la séduire. Prise de remords, elle s'apprête à rétablir la vérité devant Thésée, quand elle apprend qu'Hippolyte aime en secret Aricie, issue d'une famille ennemie. Le désir de vengeance s'élève dans le cœur de Phèdre, inspiré par la jalousie, et non plus, comme chez Corneille, par le sentiment de l'honneur ou de la gloire.

PHÈDRE

Ils s'aimeront toujours.

Au moment que je parle, ah ! mortelle pensée !
Ils bravent la fureur d'une amante insensée.
Malgré ce même exil qui va les écarter,
Ils font mille serments de ne se point quitter.
Non, je ne puis souffrir un bonheur qui m'outrage,
Œnone. Prends pitié de ma jalouse rage.
Il faut perdre Aricie. Il faut de mon époux

Contre un sang odieux réveiller le courroux.
Qu'il ne se borne pas à des peines légères :
Le crime de la sœur passe celui des frères.
Dans mes jaloux transports je le veux implorer.
Que fais-je ? Où ma raison se va-t-elle égarer ?
Moi jalouse ! et Thésée est celui que j'implore !
Pour qui ? Quel est le cœur où prétendent mes vœux ?
Chaque mot sur mon front fait dresser mes cheveux.
Mes crimes désormais ont comblé la mesure.
Je respire à la fois l'inceste et l'imposture.
Mes homicides mains promptes à me venger,
Dans le sang innocent brûlent de se plonger.

(v. 1252-1272)

La vengeance chez Racine n'a donc rien de noble. Dans le cas de *Phèdre,* elle traduit la faiblesse humaine désespérée de son impuissance, et ne peut déboucher que sur la double mort d'Hippolyte, victime de la malédiction de son père, et de Phèdre, incapable de surmonter ses contradictions et qui s'empoisonne.

La vengeance sur le mode comique

Thème tragique par excellence, la vengeance trouve curieusement un écho dans la pièce de Molière *le Médecin malgré lui* (1666). La vengeance est ici exploitée dans l'optique de la farce et du gros comique.

Sganarelle, fabricant de fagots, se dispute souvent avec sa femme Martine. Celle-ci, qui vient d'être rossée par son mari, ...re de se venger. Sur ce, arrivent le paysan Lucas et Valère, ...omestique du vieux Géronte, qui sont à la recherche d'un ...cin pour guérir le mutisme subit de Lucinde, la fille de

MARTINE, *seule*. Va, quelque mine que je fasse, je n'oublie pas mon ressentiment, et je brûle en moi-même de trouver les moyens de te punir des coups que tu me donnes. Je sais qu'une femme a toujours dans les mains de quoi se venger d'un mari ; mais c'est une punition trop délicate pour mon pendard, je veux une vengeance qui se fasse un peu sentir ; et ce n'est pas contentement pour l'injure que j'ai reçue.

(I, 3)

SCÈNE 4. VALÈRE, LUCAS, MARTINE.

LUCAS. Parguienne ! J'avons pris là tous deux une guèble de commission ; et je ne sais pas, moi, ce que je pensons attraper.

VALÈRE. Que veux-tu, mon pauvre nourricier ? il faut bien obéir à notre maître : et puis, nous avons intérêt, l'un et l'autre, à la santé de sa fille, notre maîtresse ; et sans doute son mariage, différé par sa maladie, nous vaudrait quelque récompense. Horace, qui est libéral, a bonne part aux prétentions qu'on peut avoir sur sa personne ; et, quoiqu'elle ait fait voir de l'amitié pour un certain Léandre, tu sais bien que son père n'a jamais voulu consentir à le recevoir pour son gendre.

MARTINE, *rêvant à par elle*. Ne puis-je point trouver quelque invention pour me venger ?

LUCAS. Mais quelle fantaisie s'est-il boutée là dans la tête, puisque les médecins y avont tous perdu leur latin ?

VALÈRE. On trouve quelquefois, à force de chercher, ce qu'on ne trouve pas d'abord ; et souvent en de simples lieux.

MARTINE. Oui, il faut que je me venge, à quelque prix que ce soit. Ces coups de bâton me reviennent au cœur, je ne les saurais digérer ; et... *(Elle dit tout ceci en rêvant, de sorte que, ne prenant pas garde à ces deux hommes, elle les heurte en se retournant, et leur dit :)* Ah ! Messieurs, je vous demande pardon ; je ne vous voyais pas, et cherchais dans ma tête quelque chose qui m'embarrasse.

VALÈRE. Chacun a ses soins dans le monde, et nous cherchons aussi ce que nous voudrions bien trouver.

MARTINE. Serait-ce quelque chose où je vous puisse aider ?

VALÈRE. Cela se pourrait faire ; et nous tâchons de rencontrer quelque habile homme, quelque médecin particulier qui pût donner quelque soulagement à la fille de notre maître, attaquée d'une maladie qui lui a ôté tout d'un coup l'usage de la langue. Plusieurs médecins ont déjà épuisé toute leur science après elle ; mais on trouve parfois des gens avec des secrets admirables, de certains remèdes particuliers, qui font le plus souvent ce que les autres n'ont su faire ; et c'est là ce que nous cherchons.

MARTINE *(Elle dit ces deux premières lignes bas.)* Ah ! que le ciel m'inspire une admirable invention pour me venger de mon pendard. *(Haut.)* Vous ne pouviez jamais vous mieux adresser pour rencontrer ce que vous cherchez ; et nous avons ici un homme, le plus merveilleux homme du monde pour les maladies désespérées.

VALÈRE. Et, de grâce, où pouvons-nous le rencontrer ?

MARTINE. Vous le trouverez maintenant vers ce petit lieu que voilà, qui s'amuse à couper du bois.

LUCAS. Un médecin qui coupe du bois !

VALÈRE. Qui s'amuse à cueillir des simples, voulez-vous dire ?

MARTINE. Non ; c'est un homme extraordinaire qui se plaît à cela, fantasque, bizarre, quinteux, et que vous ne prendriez jamais pour ce qu'il est. Il va vêtu d'une façon extravagante, affecte quelquefois de paraître ignorant, tient sa science renfermée, et ne fuit rien tant tous les jours que d'exercer les merveilleux talents qu'il a eus du Ciel pour la médecine.

Martine explique dans la fin de la scène que le soi-disant médecin s'appelle Sganarelle... Ce dernier, convaincu par les coups de bâton des deux compères, aura vite fait de jouer son rôle de médecin et connaîtra un certain nombre de mésaventures qui vengeront Martine. La pièce se terminera par le mariage de Lucinde, qui aura retrouvé la parole avec son amoureux Léandre, et par la réconciliation de Martine et de Sganarelle.

Annexes

Des sources diverses

Historiens antiques et traités contemporains

Corneille s'est essentiellement servi d'un fragment du *De clementia* de Sénèque (livre III, chap. VII-IX), que Montaigne avait traduit et inséré dans ses *Essais* (livre I, chap. XXIII). Comme témoignage de sa dette, Corneille avait placé le passage de Montaigne en tête de l'édition originale de *Cinna*.

Plusieurs passages trouvent également leur inspiration chez l'historien grec Dion Cassius (IIe siècle apr. J.-C.). Le livre LII de son *Histoire romaine* contient en effet une discussion entre Auguste et ses conseillers Mécène et Agrippa sur la meilleure forme de gouvernement, mais sans rapport avec un complot précis ; dans son livre LV figure la relation d'une conjuration contre Auguste à Rome, ainsi qu'un très long discours de Livie sur la clémence ; il est d'ailleurs très probable que Dion Cassius suive lui-même Sénèque, ou du moins l'auteur dont Sénèque se serait inspiré.

Corneille connaissait ensuite fort bien l'histoire romaine. La lecture de l'historien Suétone (75-160 apr. J.-C.) transparaît à travers certains détails de *Cinna*. On est d'autre part à peu près sûrs que le poète avait lu l'*Histoire romaine* de son contemporain Coëffeteau, très répandue dans le public cultivé de l'époque, qui interprétait l'histoire romaine dans un sens stoïcien proche de Sénèque que nous retrouvons ici.

Enfin, on peut repérer l'influence directe des tragédies de la même époque, mettant également en scène des assassinats politiques et posant la question de la légitimité du pouvoir. C'est par exemple le cas de la pièce de Scudéry (1601-1667) intitulée *la Mort de César* (jouée en 1635) : le débat politique proposé au début de l'acte III de cette pièce offre des analogies frappantes avec le débat sur le projet d'abdication d'Auguste et sur la meilleure forme de gouvernement à l'acte II de *Cinna.*

Analyse de détail

• Dans l'acte I, certains détails sont empruntés à l'historien grec Appien (« Au nombre des proscrits se trouvait aussi Toranius qui avait été, selon certains, le tuteur d'Auguste », *Guerres civiles,* IV, XII) et à l'historien latin Suétone (« Il proscrivit même C. Toranius son tuteur, qui, en plus, avait été le collègue de son père pendant son édilité », *Vie d'Auguste,* chap. XXVII). L'acte I, centré sur le personnage d'Émilie, créé par Corneille, est essentiellement inventé, mais Émilie acquiert sa véritable légitimité en devenant la fille de Toranius, qui a réellement existé.

• Dans l'acte II, la scène 1 peut avoir deux sources.

— La discussion sur les différentes formes de gouvernement se trouve déjà chez Dion Cassius (livre LII), où Agrippa défend les intérêts du régime républicain, alors que Mécène prend le parti du régime monarchique, conseillant à Auguste de garder le pouvoir. Corneille garde ce schéma, substituant Maxime à Agrippa, et Cinna à Mécène.

— La pièce de Scudéry *la Mort de César* a pu inspirer à Corneille le début de sa scène.

• Dans l'acte III, les états d'âme de Cinna sont inventés par Corneille.

• Dans l'acte IV, au contraire, les sources antiques sont très présentes. « La dénonciation venait de l'un des conjurés », écrit Sénèque. Corneille crée Euphorbe pour jouer ce rôle dans la scène 1.

La scène 2 expose les indécisions d'Auguste après la révélation du complot, reprises fidèlement du récit de Sénèque.

La scène 3 imite de très près Sénèque et Dion Cassius, qui

développent tous deux les arguments de Livie pour convaincre Auguste de recourir à la clémence. On remarquera cependant que, pour ménager l'intérêt de la pièce, Corneille ne laisse pas Auguste écouter les raisons de Livie, comme chez les historiens antiques, mais lui fait refuser momentanément ces arguments, afin de réserver sa décision pour la fin de la pièce.

Les dernières scènes de l'acte IV, tournant autour du personnage d'Émilie, sont de l'invention de Corneille.

• Dans l'acte V, l'entretien d'Auguste avec Cinna suit Sénèque de très près. Tous les détails sont directement empruntés au philosophe latin : Cinna doit s'asseoir, ne pas couper la parole à Auguste, Auguste l'a trouvé dans le camp de ses ennemis, etc. Corneille se borne, mais c'est du grand art, à exprimer ces idées sous forme de maximes frappantes, à les mettre en valeur par tous les procédés de la rhétorique qui donnent aux paroles d'Auguste successivement de l'ironie ou de la grandeur.

L'arrivée d'Émilie (sc. 2), puis celle de Maxime (sc. 3) suspendent encore la décision d'Auguste et sont de l'invention de Corneille, qui renforce ainsi la tension dramatique.

Mais le pardon enfin accordé par Auguste à la scène 3 vient directement de Sénèque, dont les termes sont repris fidèlement par Corneille. Livie voit alors son rôle historique amplifié par la prophétie finale qui conclut la pièce.

Corneille historien

Fidèle à ses sources, Corneille les suit parfois de fort près, mais n'est nullement gêné pour créer les personnages dont il a besoin, et en particulier son héroïne. Il a également le sens de l'amplification rhétorique qui donne un caractère frappant aux scènes qu'il imite. Enfin, il retient des écrivains antiques ces débats d'idées qui le passionnent, et qui lui permettent d'aborder une forme de philosophie historique.

Analyse des personnages

Cinna, le personnage principal ?

Cinna devrait être le personnage principal puisqu'il donne son nom à la pièce. Cependant, l'est-il vraiment ? En effet, le sous-titre de *Cinna* est « la Clémence d'Auguste », indiquant clairement que l'intérêt du spectateur se partage entre les deux personnages.

Pourtant, au premier acte, Cinna détient tous les caractères du héros : il est d'abord au centre de l'action, chef de la conspiration qui doit rendre sa liberté à Rome en abattant le « tyran » Auguste ; il est aussi le jeune premier, amoureux de la belle Émilie pour laquelle il conspire. L'intérêt du spectateur va donc tout naturellement à ce personnage romanesque qui met son énergie au service de sa passion.

Cependant, ce chef sait mieux parler qu'agir. Il décrit, admirablement, le projet du complot, avec des termes qui font penser à un tableau. Mais jamais ce complot ne verra le jour. La dénonciation de Maxime n'en est pas la seule cause ; c'est que Cinna est un rêveur, et non un homme d'action. S'il projette de tuer Auguste, c'est pour conquérir Émilie, et, au moment d'exécuter l'acte, il recule. Un héros hésite-t-il devant l'action ? C'est en ce sens que Serge Doubrovsky parle de la « déchéance du héros » avec le personnage de Cinna.

Cinna, face à Auguste

En fait, Cinna souffre de la comparaison avec Auguste qui, dépeint au premier acte sous des couleurs effroyables, a renoncé au crime, et affirme sa noblesse dès l'acte II. Face à lui, Cinna se sent comme un fils contraint d'assassiner son père, et le mot « parricide » retrouve alors son sens propre. Quand Auguste lui demande son avis sur son projet d'abdication, Cinna découvre peu à peu sa pensée profonde en exaltant les mérites d'Auguste. Cinna est donc un personnage qui évolue : le conjuré du début se révèle peu à peu un admirateur du pouvoir royal qu'il va défendre successivement devant Maxime et devant Émilie.

Mais Cinna, contrairement au Cid, véritable héros, est incapable de prendre une décision, et c'est en cela que l'on peut parler de la lâcheté du personnage : parce qu'il accepte d'être l'esclave de son amour pour Émilie, alors qu'il reconnaît la supériorité des valeurs incarnées par Auguste.

Le personnage reste malgré tout sympathique, parce qu'il est jeune, inexpérimenté et que nous comprenons ses hésitations ; mais il n'a pas la carrure héroïque d'un Auguste ou d'une Émilie. Enfin, le dénouement se fait malgré lui : la trahison de Maxime le libère du devoir moral d'assassiner Auguste, et le pardon du prince lui accorde à la fois la vie et la main d'Émilie.

Cinna est donc un personnage romanesque, en évolution tout au long de la pièce. Il est au centre de l'action et de l'intrigue amoureuse, mais il n'a pas la stature héroïque du Cid.

Émilie ou la volonté de vengeance

Avec Émilie, Corneille invente une fille à Toranius, ancien précepteur d'Auguste, assassiné pendant les proscriptions de celui-ci.

Émilie nous apparaît d'abord comme une image vivante de la vengeance, qu'elle évoque dès les premiers vers de la pièce. Obsédée par l'image de son père assassiné, elle est poursuivie par la volonté d'immoler (le mot est répété) Auguste à son souvenir. Ce désir filial de vengeance se double d'un républicanisme sincère. Face à Cinna qui veut la persuader d'abandonner l'idée du complot, face à Auguste qui connaît sa trahison, elle affirme la gloire d'être une « âme romaine ». Cependant, la volonté de vengeance apparaît plus importante dans son esprit que l'idéal républicain.

Cette conspiratrice est aussi la figure féminine principale de l'œuvre, et son amour pour Cinna en fait un personnage romanesque. Cependant, certains ont pu se demander si elle aimait réellement son amant ; en effet, elle use de chantage avec Cinna, qu'elle oblige à comploter contre Auguste : chez elle, l'amour devient moyen, s'exprimant en terme de prix, de salaire et d'achat. Pourtant, aux moments clefs, son amour éclate : dès les premiers vers, elle a des mots tendres au milieu de son intransigeance ; quand elle croit le complot découvert, « Ah ! Cinna, je te perds » (v. 288), s'écrie-t-elle ; elle pleure à la fin de l'acte III, et l'on ne comprendrait pas le personnage d'Émilie si l'on s'imaginait qu'elle n'aime pas vraiment Cinna.

L'héroïne

Émilie est dans la tradition des grandes héroïnes imaginées par Corneille : au centre de l'action, inspiratrice de Cinna, elle possède la nature de Chimène ou de Camille. Son énergie l'emporte certainement sur celle de Cinna...

Cette conspiratrice avait tout pour séduire le public de l'époque : ses idées sont nobles, l'intrigue au centre de laquelle elle se meut n'est pas sans évoquer les nombreuses conspirations qui ont eu lieu sous le règne de Louis XIII (voir p. 11). Quelques années plus tard, se développera le personnage de la frondeuse qu'Émilie semble avoir préfiguré.

Enfin, c'est un personnage qui refuse le changement. Murée dans son idée de vengeance, elle refuse tout compromis. Il faudra le pardon final d'Auguste pour qu'elle soit, en quelque sorte, convertie par cette forme de générosité qui parle à la noblesse de son âme. Cette aristocrate devenue républicaine par vengeance reconnaît alors son erreur. Ce changement final peut faire penser à celui de Laurence de Cinq-Cygne, personnage créé par Balzac dans *Une ténébreuse affaire* (1841) : royaliste convaincue, Laurence a poussé ses cousins à comploter contre Napoléon ; à la fin du roman, cependant, quand elle est face à l'Empereur, elle éprouve le même éblouissement qu'Émilie devant Auguste et reconnaît la grandeur de son ancien ennemi.

Auguste, le véritable héros de la pièce ?

Pour certains, Auguste est le véritable héros de la pièce. Pourtant, ce n'est pas ainsi qu'il a été ressenti par le public du XVIIe siècle qui s'attachait surtout aux amours de Cinna et d'Émilie, ainsi qu'au sort de la conjuration.

Au premier acte, effectivement, Auguste n'a rien d'un héros. Il nous est alors présenté sous les traits sanguinaires d'Octave, et le sang qu'il a fait couler indispose le spectateur contre lui.

Cependant, dès l'acte II, l'intérêt du spectateur pour la conjuration se trouve déplacé vers le projet d'abdication formulé par Auguste. Ce sentiment est renforcé par la noble dignité du personnage, qui n'a plus rien à voir avec les excès d'Octave.

Un personnage qui se cherche

Auguste vit une crise morale : insatisfaction devant la possession du pouvoir, vaine recherche de l'amitié, douleur devant la succession des trahisons, tentation du suicide. Auguste est un personnage passionnant parce qu'il se cherche, d'abord dans la possession des choses, puis dans l'interrogation des autres, et qui finit enfin par se trouver.

Les trahisons de Cinna, d'Émilie, de Maxime ont porté à son comble la douleur du personnage, tenté lui aussi par la vengeance. La maîtrise de lui-même lui permet de dominer sa colère et de pardonner. Il trouve alors la solution politique et morale à la crise qu'il vient de vivre. En cela, Auguste est un véritable héros qui triomphe d'un combat, moral cette fois, contre les autres et contre lui-même. Auguste est, de plus, un personnage étonnamment dramatique, puisque toute la fin de la pièce est suspendue à sa décision, qui n'intervient que dans la dernière scène. C'est lui qui incarne la « générosité » cornélienne, et tous ces points de vue permettent de le ressentir comme le véritable héros de la pièce, alors que Cinna nous intéresse d'un point de vue plus romanesque.

Livie, une tête pensante politique

Le personnage de Livie a été très controversé, au point que certaines époques l'on fait disparaître de la pièce. Voltaire, par exemple, est très critique à l'égard de ce personnage introduit tardivement dans l'action.

Cependant, même si Livie ne figure que dans trois scènes, c'est un personnage important : elle apparaît en effet comme une véritable tête pensante politique, qui conçoit la clémence comme une arme destinée à combattre les attentats et à asseoir durablement le nouvel État créé par Auguste. C'est elle qui justifie le pouvoir du prince et en affirme la légitimité. Enfin, véritable prophétesse, elle acquiert dans la dernière scène une dimension particulière, comme si elle était mue par une inspiration divine. Corneille parle alors par sa bouche, annonçant, à la manière de Virgile dans sa 4e *Églogue,* le bonheur du pouvoir royal inspiré par la générosité.

Maxime, républicain puis traître

Maxime est un personnage inventé par Corneille parce qu'il lui était nécessaire sur un plan dramatique : à l'acte II, pour présenter la thèse contraire à celle de Cinna ; dans le déroulement du complot, pour assumer le rôle du traître qui coupe court à la conjuration. Sans lui, Auguste serait assassiné. Corneille a fait de Maxime un personnage très contrasté. À l'acte II, il est d'abord un républicain sincère qui combat courageusement la thèse monarchique devant Auguste, puis s'indigne contre l'attitude imprévue de Cinna.

Cependant, ce personnage estimable est aussi l'amoureux incompris de la belle Émilie, qui devient un traître à l'acte III par jalousie et par dépit. Il est vrai qu'il est manipulé par Euphorbe et qu'il tente d'abord de résister à ses arguments. Néanmoins, le personnage s'enfonce peu à peu dans la bassesse. Ainsi, à l'acte IV, après avoir laissé à Euphorbe le soin de dénoncer le complot, il profite de l'occasion pour tenter de séduire et d'emmener Émilie. Devant le refus de la jeune femme, il se reconnaît coupable d'une triple trahison à l'égard d'Auguste, de Cinna et d'Émilie. Enfin, le personnage devient franchement antipathique quand il rejette toute la responsabilité de son acte sur Euphorbe.

Mais Maxime n'est pas totalement mauvais puisque, au dernier acte, il a le courage de paraître devant Auguste, auquel il avoue sa trahison. Il bénéficiera de l'amnistie générale décrétée par Auguste.

Maxime est donc un républicain sincère et estimable que les circonstances poussent à endosser le rôle du traître et du méchant. Nécessaire à l'action, ce personnage sert également à mettre en valeur la générosité de son rival Cinna.

Euphorbe, le fourbe

Créé lui aussi par Corneille, il n'apparaît que dans deux scènes : pour inciter Maxime à la trahison, et pour dénoncer le complot à Auguste. Autant dire qu'il est le traître par excellence. D'ailleurs, son nom fait penser à « fourbe », de même que, dans *Sertorius,* Aufide rime avec « perfide ».

Ce roué qui sait manier les mots et les âmes trouve admirablement les arguments propres à déclencher la jalousie de Maxime. Il incarne le machiavélisme tel que Corneille le déteste, annonçant déjà Photin, conseiller du roi Ptolémée qui, dans *la Mort de Pompée* (1642), pousse le roi d'Égypte à faire assassiner son ancien allié Pompée parce que celui-ci a été vaincu par César. Corneille a horreur des âmes basses et sans générosité, mues par l'intérêt seul.

Ce personnage a son utilité dramatique : il évite à Maxime d'avoir à dénoncer lui-même le complot et il prend sur lui une part de l'antipathie que le spectateur pourrait éprouver, autrement, pour Maxime.

Cet affranchi au nom grec correspond à une réalité historique : la montée des affranchis dans la société romaine avec l'apparition de l'Empire. Pour certains, Euphorbe annonce déjà le Narcisse de Racine dans *Britannicus* (1669).

Les principaux thèmes de *Cinna*

Outre le thème de la vengeance, incarné essentiellement par Émilie, et qui revient souvent dans l'œuvre de Corneille, plusieurs autres thèmes sont récurrents dans *Cinna*.

La clémence

C'est un thème fréquent dans la tragédie depuis la fin du XVIe siècle, à l'imitation des pièces de Sénèque. L'anecdote de la clémence d'Auguste était un lieu commun obligé des manuels de morale de l'époque, qui affadissaient considérablement le personnage. Corneille reprend le thème, mais n'idéalise pas Auguste au point de faire oublier les crimes passés d'Octave. Au contraire, il montre la transformation morale du personnage qui réussit à se maîtriser suffisamment pour parvenir au pardon. La clémence devient également dans la pièce le sujet d'un débat politique animé par Livie, et en partie repris de Dion Cassius : la clémence s'oppose à la tyrannie, et l'exercice de cette vertu assure une légitimité accrue au nouveau régime politique.

La légitimité du pouvoir

Depuis Machiavel, les penseurs politiques se posaient fréquemment la question suivante : quel phénomène confère sa légitimité à un pouvoir politique ? Est-ce la force qui impose

son droit, ou le pouvoir naît-il de la loi et des règles établies ? La question est posée dans le vaste débat de la première scène de l'acte II ; à Cinna qui déclare :
« Rome est dessous vos lois par le droit de la guerre » (v. 421), c'est-à-dire par le droit créé par la force, Maxime répond :
« On hait la monarchie ; et le nom d'empereur,
Cachant celui de roi, ne fait pas moins d'horreur.
Ils passent pour tyran quiconque s'y fait maître » (v. 483-485).

Est-il donc légitime d'acquérir le pouvoir par la force ? Cinna avait déjà donné une première justification de cette forme de pouvoir : Auguste a désormais coûté trop cher au peuple romain pour avoir le droit d'abdiquer. Dans la scène 2 de l'acte V, Livie apportera un argument supplémentaire, d'ordre métaphysique :
« Tous ces crimes d'État qu'on fait pour la couronne,
Le ciel nous en absout alors qu'il nous la donne,
Et dans ce sacré rang où sa faveur l'a mis,
Le passé devient juste et l'avenir permis » (v. 1609-1612).

Le pouvoir acquis par la force, une fois qu'il a trouvé une certaine durée, est donc justifié par le « ciel » lui-même. Le prince devient une sorte d'homme providentiel, voulu par la raison divine qui absout les crimes passés au bénéfice de la vertu présente.

Ces idées sont très proches des théories néostoïciennes débattues au début du XVIIe siècle par des penseurs comme le Flamand Juste Lipse (1547-1606) ou le Français du Vair (1556-1621), qui tentaient de concilier la philosophie stoïcienne de Sénèque avec la pensée chrétienne.

La trahison

C'est un vieux ressort tragique, souvent utilisé par Corneille, qui crée plusieurs personnages de traîtres, comme par exemple

Perpenna, dans *Sertorius,* ou Martian, dans *Othon*. Dans *Cinna*, la trahison est incarnée par les personnages de Maxime, traître par jalousie et par occasion, et d'Euphorbe, traître par nature. Corneille s'est efforcé de reporter la laideur de la dénonciation sur Euphorbe, afin de ne pas rendre Maxime trop antipathique.

Ce thème est d'ailleurs traité avec une certaine richesse : en effet, Cinna lui-même, alors qu'il hésite à assassiner Auguste en raison de l'admiration nouvelle qu'il ressent pour lui, se voit, paradoxalement, et sans doute injustement, accuser de trahison, d'abord par Maxime, puis par Émilie.

Les vieux Romains et l'esprit républicain

L'idéal républicain est souvent exprimé dans *Cinna,* et Corneille traduit très fidèlement cet esprit républicain qui animait Rome et qui avait conduit au départ des rois en 509 av. J.-C., instituant la République. Rome disposait d'un pouvoir politique relativement équilibré partagé entre deux consuls élus pour un an, qui assuraient l'exécutif ; une série de magistrats élus ; le sénat, composé d'anciens magistrats, et une assemblée populaire, les comices, censée assurer l'aspect démocratique du régime.

Cependant, les troubles politiques du Ier siècle av. J.-C. avaient conduit à une instabilité chronique, et finalement à la guerre civile. Seul un homme fort, Auguste, avait pu rétablir la paix, changeant en même temps les règles de l'État.

Pendant les premières années du règne d'Auguste, il se trouva un certain nombre d'esprits chagrins pour regretter l'idéal républicain d'autrefois, fait d'austérité, et qui pouvait être incarné par les héros que furent Caton d'Utique, Brutus ou Cassius, mentionnés dans *Cinna*. C'est cet esprit républicain, tourné vers le passé, et encore animé par la vengeance, que Corneille a incarné dans Émilie.

L'horreur du pouvoir populaire

Corneille a cependant une préférence pour l'État monarchique. Dans le débat qui oppose Cinna à Maxime (II, 1), c'est à Cinna qu'il donne raison, et le sentiment profond de Corneille s'exprime fort bien à travers le vers 521 prononcé par Cinna :
« Le pire des États, c'est l'État populaire. »

La peinture lancinante des guerres civiles, des proscriptions et de leurs horreurs, traduit bien la haine de Corneille pour tout ce qui est agitation populaire. Non qu'il aime la tyrannie, mais il est amoureux de l'ordre et voit dans Auguste, comme dans le roi de France et son ministre Richelieu, des freins à l'agitation populaire ou princière. Seule la paix civile peut, pour Corneille, assurer le bonheur de l'humanité. Le prince, renonçant à ses éventuels crimes passés, est alors en quelque sorte délégué par Dieu sur terre pour assurer son rôle de chef, d'équilibre et de modérateur entre les passions humaines.

C'est la leçon découverte brutalement par Émilie à la fin de la pièce et qui la pousse à renoncer à son idéal républicain, historiquement dépassé, pour se ranger sous l'autorité bienfaisante d'Auguste.

La structure de la pièce

La pièce est construite sur le thème de la vengeance et du complot. Ce thème est alimenté par une série de rebondissements dus aux deux héros masculins de la pièce, Cinna et Auguste, dont les hésitations impriment des tours inattendus à l'action. Ainsi, le projet d'abdication d'Auguste à l'acte II ne va-t-il pas faire échouer le complot ? À l'acte suivant, les hésitations de Cinna peuvent faire croire qu'il va renoncer à l'assassinat, quand Émilie le remet dans le « droit chemin ». À l'acte IV, le complot est dénoncé, mais les conséquences de cette trahison sont incertaines : que va décider Auguste ? L'intérêt est donc sans cesse renouvelé.

Corneille ne ménage pas non plus les coups de théâtre : convocation de Cinna et de Maxime par Auguste (I, 4) ; projet de trahison de Maxime, qui change inopinément de camp (III, 1) ; réapparition de Maxime (V, 3).

Mais l'habileté suprême de Corneille consiste à avoir maintenu jusqu'à la fin de la pièce une tension et un suspense qui ne cesseront qu'avec le pardon d'Auguste, dans la scène finale. Encore faut-il remarquer que ce pardon paraissait peu probable dans les scènes précédentes.

La pièce est donc construite sur une montée de l'action, ponctuée de coups de théâtre et de rebondissements. À la fin de l'acte III, nous sommes au point culminant de l'action. Mais Corneille saura maintenir le spectateur en haleine pendant les deux derniers actes, pour ne dévoiler le mot de la fin qu'avec la scène finale : du grand art...

Le respect des trois unités

Corneille considérait *Cinna* comme une de ses meilleures pièces. De fait, sa simplicité et son économie de moyens lui confèrent une sorte de perfection. C'est aussi une des œuvres où Corneille respecte le mieux la fameuse règle des trois unités réclamée chez les classiques.

L'unité de temps

C'est certainement l'unité la plus visible. En effet, les événements ne prennent pas plus de temps que la durée réelle de la pièce, c'est-à-dire environ deux heures. Étant donné la tension des événements et l'enjeu du complot pour la vie des personnages, ce resserrement du temps contribue beaucoup à renforcer le suspense voulu par Corneille.

L'unité d'action

Elle est également respectée. Certes, il y a un certain déplacement de l'intérêt qui passe de la réalisation du complot à la clémence d'Auguste. Cependant, l'un est nécessairement la conséquence de l'autre, et l'unité d'action est assurée par le personnage de Cinna qui donne fort justement son titre à l'œuvre : Cinna tente un complot qui est dénoncé ; Cinna sera-t-il condamné, ou pardonné ?

L'unité de lieu

Cette unité a davantage été discutée. En effet, l'acte I se déroule dans l'appartement d'Émilie, l'acte II chez Auguste, l'acte III dans l'appartement d'Émilie ; l'acte IV se partage entre l'appartement d'Auguste et celui d'Émilie, et nous revenons chez Auguste pour l'acte V. Corneille lui-même reconnaît cette « duplicité de lieu » ; il déplore même d'avoir dû partager son acte IV entre deux lieux différents, mais se justifie au nom de la vraisemblance : Maxime ne pouvait pas venir informer Émilie de la découverte du complot chez Auguste même. L'écrivain conclut que l'esprit de l'unité de lieu est respecté : « Mais cela n'empêche pas qu'à considérer tout le poème ensemble, il n'ait son unité de lieu » (voir

p. 148). Il existe en effet un lieu commun à toute la pièce : c'est le palais d'Auguste, qui renferme, d'un côté, l'appartement d'Auguste et, de l'autre, l'appartement d'Émilie. Il y a donc unité dans le lieu d'ensemble, même s'il existe une duplicité des lieux particuliers.

Le style dans *Cinna*

Cinna est l'une des pièces les mieux écrites de Corneille. De même que dans *le Cid* et dans *Horace,* de très nombreux vers bien frappés se gravent dans la mémoire.

On retiendra par exemple :
« Et monté sur le faîte, il aspire à descendre » (v. 370) ;
« Qu'une âme généreuse a de mal à faillir » (v. 875) ;
« Je suis maître de moi comme de l'univers » (v. 1696).

Rhétorique, monologue et discours

La vigueur du style tient en particulier au caractère fortement rhétorique de nombre de ces vers. Corneille n'hésite pas à multiplier les antithèses, les anaphores, les hyperboles et autres procédés qui donnent de la vigueur à l'expression (voir p. 204).

On peut en particulier relever l'importance des discours et des monologues qui exploitent largement ces procédés rhétoriques. Ainsi, chacun des quatre personnages principaux dispose d'un monologue : les nombreuses antithèses, les images expriment admirablement le caractère volontaire et passionné d'Émilie ; le monologue de Cinna recourt à des alliances de mots, à des anaphores, des exclamations et des interrogations oratoires traduisant bien son incertitude ; pour le monologue d'Auguste, Corneille utilise une série d'antithèses et d'images qui opposent parfaitement les solutions envisagées par le personnage ; quant au style de Maxime, désespéré de n'avoir pu convaincre Émilie (IV, 6), il est plus fluctuant et traduit la lâcheté du personnage.

Longs discours politiques

On peut également admirer les grands discours politiques, où l'expression est pleine et majestueuse, où les arguments sont formulés en maximes frappantes et faciles à retenir. Ainsi, malgré son extrême longueur, la scène 1 de l'acte II ne lasse jamais, en raison de l'intérêt de l'argumentation, mais aussi de la netteté du style : chaque tirade possède un plan bien articulé, des maximes, des oppositions, des images qui parlent à l'esprit. De même, le long récit que fait Cinna dans la scène 3 de l'acte I, est un modèle du genre : varié, animé par des procédés rhétoriques qui le font vivre comme le tableau d'un peintre, il n'ennuie jamais.

Les procédés rhétoriques ne sont d'ailleurs pas les seuls utilisés par Corneille. On remarquera en effet l'emploi d'un autre registre, celui du langage précieux, en particulier dans la bouche de Cinna et de Maxime quand ils s'adressent à Émilie.

Le style de *Cinna* est donc très varié : les grandes tirades rhétoriques ne doivent pas faire oublier les échanges lyriques entre les amants, les passes d'armes heurtées entre Maxime et Cinna ou les brefs cris du cœur d'Émilie quand elle croit Cinna perdu.

La langue du XVIIe siècle

Accords

• Accord du participe : on ne faisait pas l'accord du participe passé employé avec l'auxiliaire « avoir » quand le sujet était inversé.

« Tant de braves Romains, tant d'illustres victimes,
Qu'à son ambition ont immolé ses crimes » (v. 89-90).

• Le participe présent, aujourd'hui invariable quand il est employé comme verbe, pouvait s'accorder.

« Je les peins dans le meurtre à l'envi triomphants » (v. 194).
• Accord du verbe avec le sujet le plus proche (latinisme).
« L'heure, le lieu, le bras se choisit aujourd'hui » (v. 139).

Particularités des verbes

• Avec les verbes « pouvoir », « devoir », les temps passés de l'indicatif pouvaient avoir le sens du conditionnel (latinisme).
« J'ai pu, vous le savez, sans parjure et sans crime,
Vous laisser échapper cette illustre victime » (v. 949-950).
• Emploi du participe présent avec la valeur d'un gérondif.
« Contentant ses désirs, punis son parricide » (v. 1182).
• Tendance à mettre le pronominal là où nous mettrions le passif.
« La voix de la raison jamais ne se consulte » (v. 510).
• Subjonctif de doute après un verbe d'opinion sans négation.
« Tous présument qu'il aye un grand sujet d'ennui » (v. 1283).
• Subjonctif de souhait employé sans « que ».
« Dure, dure à jamais l'esclavage de Rome » (v. 886).
• Infinitif complément de moyen.
« Non, non, je me trahis moi-même d'y penser » (v. 1159).
• On emploie librement l'infinitif ou le participe sans qu'il ait obligatoirement le même sujet que celui du verbe principal.
« Elle a pour la blâmer une trop juste cause » (v. 58).
• « Aimer », « désirer », « espérer » se construisent avec « de » + l'infinitif.
« Quelque fruit que par là j'espère de cueillir » (v. 876).
• Emploi du verbe simple là où nous emploierions le dérivé : « mène » pour « amène » (v. 279), « rompre » pour « interrompre » (v. 830, 975), « porte » pour « apporte » (v. 114), « fie » pour « confie » (v. 1121), « épandre » pour « répandre » (v. 1234), « connaître » pour « reconnaître » (v. 1717).
• « Avant que de » + infinitif.
« Mon ardeur inconnue, avant que d'éclater » (v. 723).

Place des mots

- Place du pronom complément : on ne sépare pas l'infinitif du verbe qui l'introduit, par le C.O.D.

« S'il me veut posséder, Auguste doit périr » (v. 55).

- Place de l'adjectif épithète : plutôt avant le nom qu'il détermine.

« Remettez à leurs bras les communs intérêts » (v. 95).

- Place de « ne... pas » : quand l'infinitif était accompagné d'un pronom complément et employé avec la négation, on séparait « ne » et « pas » par le groupe pronom + infinitif.

« À ne te laisser pas ta fuite en ton pouvoir » (v. 328).

- Quand deux impératifs se suivaient, le pronom personnel complément du deuxième se plaçait avant le verbe.

« Eh bien ! prends-en ta part et me laisse la mienne » (v. 1645).

Absence d'article

- Fréquente dans certaines expressions avec des noms abstraits.

« Je n'ai pas perdu temps, et, voyant leur colère » (v. 213).

- Quand plusieurs superlatifs relatifs se suivent, on ne répète pas toujours l'article.

« Pour les plus importants et plus nobles emplois » (v. 1084).

- Absence d'article avec « même », « tel », « autre ».

« Et vois que si nos cœurs avaient mêmes désirs » (v. 919).
« Demander pour appui tels esclaves que nous » (v. 984).
« Tu ne trouves dans Rome autre obstacle que moi » (v. 1512).

Relatifs

- « Où » peut s'employer avec un antécédent abstrait.

« Quand je songe aux dangers où je te précipite » (v. 22).

- « Qui », après une préposition, peut se rapporter à un nom de chose ou à un nom abstrait.

« Un crime par qui Rome obtient sa liberté » (v. 743).

- « Qui » est souvent séparé de son antécédent.

« Où la gloire me suit qui t'était destinée » (v. 1046).

- « Dont » peut avoir des valeurs diverses : « par lequel », « avec lequel » ...

« Sa tête est le seul prix dont il peut m'acquérir » (v. 56).

Adverbes

- « En » et « y » peuvent désigner un nom de personne.

« Mais sans venger son père il n'y peut aspirer » (v. 711).

- Fréquentes confusions entre préposition et adverbe.

« Rome est dessous vos lois par le droit de la guerre » (v. 421).

- « Tout » pouvait s'accorder quand il était employé comme adverbe.

« Sont-ils morts tous entiers avec leurs grands desseins ? » (v. 267).

Réfléchis

- Comme en latin, le réfléchi « soi » pouvait renvoyer à un sujet déterminé.

« Mon esprit en désordre à soi-même s'oppose » (v. 121).

Corneille, *Cinna* et les critiques

L'accueil des contemporains

Corneille ne peut être égalé dans les endroits où il excelle : il a pour lors un caractère original et inimitable ; mais il est inégal. Ses premières comédies [pièces] sont sèches, languissantes, et ne laissaient pas espérer qu'il dût ensuite aller si loin, comme ses dernières font qu'on s'étonne qu'il ait pu tomber de si haut. Dans quelques-unes de ses meilleures pièces, il y a des fautes inexcusables contre les mœurs, un style de déclamateur qui arrête l'action et la fait languir, des négligences dans les vers et dans l'expression qu'on ne peut comprendre en un si grand homme. Ce qu'il y a eu en lui de plus éminent, c'est l'esprit, qu'il avait sublime, auquel il a été redevable de certains vers, les plus heureux qu'on ait jamais lus ailleurs, de la conduite de son théâtre, qu'il a quelquefois hasardée contre les règles des Anciens, et enfin de ses dénouements ; car il ne s'est pas toujours assujetti au goût des Grecs et à leur grande simplicité : il a aimé au contraire à charger la scène d'événements dont il est presque toujours sorti avec succès ; admirable surtout par l'extrême variété et le peu de rapport qui se trouve pour le dessein entre un si grand nombre de poèmes qu'il a composés.

La Bruyère, *les Caractères,* I, 54.

Monsieur,
J'ai senti un notable soulagement depuis l'arrivée de votre paquet, et je crie miracle dès le commencement de ma lettre. Votre *Cinna* guérit les malades, il fait que les paralytiques

battent des mains, il rend la parole à un muet, ce serait trop peu de dire à un enrhumé. En effet, j'avais perdu la parole avec la voix, et, puisque je les recouvre l'une et l'autre par votre moyen, il est bien juste que je les emploie toutes deux à votre gloire, et à dire sans cesse : *La belle chose !* Vous avez peur néanmoins d'être de ceux qui sont accablés par la majesté des sujets qu'ils traitent et ne pensez pas avoir apporté assez de force pour soutenir la grandeur romaine. Quoique cette modestie me plaise, elle ne me persuade pas, et je m'y oppose pour l'intérêt de la vérité. Vous êtes trop subtil examinateur d'une composition universellement approuvée ; et s'il était vrai qu'en quelqu'une de ses parties vous eussiez senti quelque faiblesse, ce serait un secret entre vos muses et vous ; car je vous assure que personne ne l'a reconnue. La faiblesse serait de notre expression, et non pas de votre pensée : elle viendrait du défaut des instruments, et non pas de la faute de l'ouvrier, il faudrait en accuser l'incapacité de notre langue.

Vous nous faites voir Rome tout ce qu'elle peut être à Paris, et ne l'avez point brisée en la remuant. Ce n'est point une Rome de Cassiodore et aussi déchirée qu'elle était au siècle des Théodorics : c'est une Rome de Tite-Live, et aussi pompeuse qu'elle était au temps des premiers Césars. Vous avez même trouvé ce qu'elle avait perdu dans les ruines de la république, cette noble et magnanime fierté ; et il se voit bien quelques passables traducteurs de ses paroles et de ses locutions, mais vous êtes le vrai et le fidèle interprète de son esprit et de son courage. Je dis plus, Monsieur, vous êtes souvent son pédagogue et l'avertissez de la bienséance quand elle ne s'en souvient pas. Vous êtes le réformateur du vieux temps, s'il a besoin d'embellissement, ou d'appui. Aux endroits où Rome est de brique, vous la rebâtissez de marbre : quand vous trouvez du vide, vous le remplissez d'un chef-d'œuvre ; et je prends garde que ce que vous prêtez à l'histoire est toujours meilleur que ce que vous empruntez d'elle. La femme d'Horace et la maîtresse de Cinna, qui sont vos deux véritables enfantements, et les deux pures créatures de votre esprit, ne sont-elles pas aussi les principaux ornements de vos deux poèmes ? Et qu'est-ce que la saine Antiquité a produit de vigoureux et de ferme dans le sexe faible, qui soit comparable à ces nouvelles héroïnes que vous avez mises au monde, à ces Romaines de votre façon ? Je ne m'ennuie point depuis quinze jours, de considérer celle que j'ai reçue la dernière. Je l'ai fait admirer à tous les habiles de notre province ; nos orateurs et nos poètes en disent merveilles, mais un docteur de mes voisins, qui se met d'ordinaire sur le haut style, en parle certes d'une étrange sorte ; et il n'y a point de mal que vous sachiez jusques où vous avez porté son esprit. Il se contentait le premier jour de dire que votre Émilie était la rivale de Caton et de Brutus dans la passion de la liberté. À cette heure il va bien plus loin. Tantôt il la nomme la possédée du démon de la république, et quelquefois la belle, la raisonnable, la sainte et l'adorable Furie.

Voilà d'étranges paroles sur le sujet de votre Romaine, mais elles ne sont pas sans fondement. Elle inspire en effet toute la conjuration et donne chaleur au parti par le feu qu'elle jette dans l'âme du chef. Elle entreprend, en se vengeant, de venger toute la Terre ; elle veut sacrifier à son père une victime qui serait trop grande pour Jupiter même.

C'est à mon gré une personne si excellente que je pense dire peu à son avantage, de dire que vous êtes beaucoup plus heureux en votre race que Pompée n'a été en la sienne, et que votre fille Émilie vaut, sans comparaison, davantage que Cinna, son petit-fils. Si celui-ci même a plus de vertu que n'a cru Sénèque, c'est pour être tombé entre vos mains, et à cause que vous avez pris soin de lui. Il vous est obligé de son mérite, comme à Auguste de sa dignité. L'empereur le fit consul, et vous l'avez fait honnête homme ; mais vous l'avez pu faire par les lois d'un art qui polit et orne la vérité, qui permet de favoriser en imitant, qui quelquefois se propose le semblable, et quelquefois le meilleur. J'en dirais trop si j'en disais davantage. Je ne veux pas commencer une dissertation, je veux finir une lettre et conclure par les protestations ordinaires, mais très sincères et très véritables, que je suis, etc.

Le 17 janvier 1643.

Lettre de Guez de Balzac à Corneille.

Rhétorique et politique

L'œuvre de Corneille ne touche pas seulement à la politique par le caractère des valeurs morales qu'elle met en jeu ; elle s'organise tout entière comme un vaste drame politique, où se réfléchissent, avec toute l'intensité symbolique du drame, les oppositions de forces, les heurts de pensée et d'arguments qui agitent la vie des États à cette époque. C'est à tort que le style sentencieux et l'éloquence parfois conventionnelle qui enveloppent cet aspect de l'œuvre ont fait dire que la politique cornélienne « n'est et ne pouvait être que de la rhétorique » [Brunetière, *Études critiques*]. Sans doute Corneille n'est pas Retz. Il n'a pas pratiqué ce qu'il représente. Il ne connaît des affaires que ce que le public aime à s'en imaginer : de grands intérêts, de grandes actions et de grandes maximes. Mais la façon dont le public voit la politique est elle-même une importante partie de la politique ; c'est précisément parce qu'il a un rôle privilégié dans ce domaine de l'opinion que l'écrivain, même éloigné de l'action, y participe : la « rhétorique » de Corneille n'est pas séparable de l'opinion vivante de son temps ; elle interprète, suivant les goûts et les pensées du public, des situations dont la vie a fourni le modèle. [...]

P. Bénichou, *Morales du Grand Siècle*, Gallimard, 1948.

Cinna, l'image d'une monarchie parfaite

Corneille, flatteur par entraînement et par métier, se retrouve toujours auprès de Corneille ennemi de la tyrannie par penchant et par éloquence : toute sa génération avait été ainsi.

Autre écho des discussions politiques de son siècle, que le siècle suivant reproduira lui aussi amplifié : l'idée de la stabilité plus grande du gouvernement tempéré, qui règne par l'adhésion et non par la contrainte. Nous avons vu le rôle que joue dans Corneille l'émulation de générosité ; c'est sur un mécanisme semblable, jouant entre le gouvernement et les gouvernés, que les théoriciens du gouvernement aristocratique font reposer le bon gouvernement. Les mouvements généreux du dénouement de *Cinna* présentent en raccourci le fonctionnement d'une monarchie parfaite : jamais Auguste n'a été plus assuré de l'obéissance de ses sujets qu'après son pardon. La tyrannie, selon Joly, « n'étant reconnue que par force, ne peut produire que guerres, troubles et divisions, qui ruinent la véritable autorité ». Ainsi le Childéric de *l'Astrée,* pour n'avoir pas écouté les conseils de justice de son père, est renversé par une émeute et met toute son espérance de restauration dans les manœuvres d'un de ses amis, qui, encourageant exprès le nouveau roi dans la voie de la tyrannie, doit le conduire, lui aussi, à sa perte. La même situation, qui est en même temps une argumentation, se retrouve dans Corneille, lorsque le conseiller d'un roi, secrètement désireux de le supplanter, adopte à cette fin le plan suivant :

L'ériger en tyran par mes propres conseils,
De sa perte par lui dresser les appareils.

La tyrannie est la ruine de la monarchie : elle ouvre la porte à la subversion totale. Cet argument sera repris par tous les théoriciens du gouvernement aristocratique : de Fénelon à Montesquieu, ils prétendront montrer aux rois leur perte là où ils croient voir leur grandeur.

P. Bénichou, *op. cit.*

La souffrance de Cinna

Contrairement au contresens flagrant de l'interprétation traditionnelle, la lâcheté de Cinna n'est pas, malgré ses sentiments républicains, de contribuer par ses conseils au maintien de la monarchie : *elle consiste, en dépit de ses convictions monarchiques, à agir, par amour, en républicain.*

C'est là, sans aucun doute, le fond du drame intime et inexorable de Cinna : sa souffrance, en conseillant à Auguste de rester empereur, n'est pas d'avoir à *mentir*, c'est, au contraire, de savoir qu'il *dit la vérité* et, pourtant, de la trahir par son esclavage amoureux. Au moment où l'on suppose qu'il dissimule sa pensée, il la révèle. Son « républicanisme » est une attitude de commande, un masque qu'il essaie maladroitement (ou trop adroitement) de mettre sur son visage : d'où le détachement extérieur, que nous avons noté, avec lequel il manie les conjurés, sans réellement participer à la conjuration. C'est qu'en fait, il n'est pas des leurs ; il est, de cœur et de conviction, du côté d'Auguste. On ne s'est jamais demandé comment, *surpris* par l'initiative imprévisible de celui-ci (« Malgré notre surprise et mon insuffisance... », II, 1, 405), Cinna est capable d'improviser une défense de la monarchie si concertée, si serrée, si *logique*, qu'elle emporte irrésistiblement l'adhésion d'Auguste. Cela serait inconcevable s'il n'exprimait pas subitement une pensée longtemps préparée et mûrie : *sa* pensée.

S. Doubrovsky, *Corneille et la dialectique du héros*, Gallimard, 1963.

Auguste, l'être et le vouloir

Qu'il [*le sort*] *joigne à ses efforts le secours des enfers :*
Je suis maître de moi comme de l'univers ;
Je le suis, je veux l'être... (v. 1695-1697).

Il faut comprendre exactement ce cri. On cite souvent ces vers comme la définition du personnage cornélien, qui n'a qu'à vouloir pour être : « ce qui distingue le héros cornélien, c'est l'identification spontanée de l'être et du vouloir », écrit G. Poulet. Formule séduisante, mais fausse. Tout le mouvement de *Cinna* et, à cet égard, du théâtre cornélien entier, est là pour prouver juste l'inverse : l'identification de l'être et du vouloir n'est *jamais* spontanée. La spontanéité ne va jamais dans le sens de la volonté : le projet héroïque, au contraire — d'Alidor à Rodrigue et à Horace, ou, maintenant, à Auguste —, n'est rien d'autre que l'effort de l'homme pour *se récupérer sur et contre sa nature*. Entre l'être et le vouloir s'interpose la couche épaisse et opaque d'une sensibilité toujours à nier et à dominer, si l'homme veut se réaliser en tant qu'homme, dépasser le stade de l'animalité et de la servitude, en un mot, accéder à la Maîtrise. Le héros n'*est* jamais ce qu'il veut ; il ne le *devient* que dans la mesure où il *se fait*, au terme d'un dur, long et déchirant combat contre autrui et contre soi-même. Il est donc impossible de comprendre le cri d'Auguste comme une décision prise « à volonté » et « calculée ». Ne pas voir qu'il s'agit là d'un ultime raidissement, d'une crispation finale ou, ainsi qu'Auguste le dit, d'une « dernière victoire », acquise de justesse au bord du gouffre et de la chute, c'est ne rien comprendre à cette tragédie ni à la tragédie cornélienne en général. Toute l'habileté technique du dramaturge a été précisément employée pour produire, chez Auguste, une accumulation de l'émotion, un paroxysme du sentiment, une frénésie soudaine de vengeance :

Ô siècles, ô mémoire,
Conservez à jamais ma dernière victoire !
Je triomphe aujourd'hui du plus juste courroux
De qui le souvenir puisse aller jusqu'à vous (v. 1697-1700).

Si Auguste voit dans son pardon un geste digne de devenir « légendaire », si ce geste lui donne un tel sentiment de « victoire », c'est qu'il lui a fallu, pour l'accomplir, mobiliser tout ce qui lui restait d'énergie et faire surgir, du sein de sa détresse, du fond de sa dérive, l'affirmation brusque du Moi. Celle-ci n'est nullement « identification spontanée de l'être et du vouloir », mais rupture tragique ; non adhérence, mais arrachement à soi.

S. Doubrovsky, *op. cit.*

Avant ou après la lecture

Compositions littéraires

1. Relire la lettre de Guez de Balzac à Corneille, p. 190.

Faire le plan de cette lettre et dégager les idées principales, en particulier tout ce qui touche au problème de la vérité historique.

Tenter de résumer le texte en 200 mots environ.

Essayer d'analyser le sentiment profond de G. de Balzac : ses louanges hyperboliques sont-elles totalement sincères, ou contiennent-elles une part d'ironie, comme certains critiques ont cru pouvoir le déceler ?

Le jugement de Napoléon sur *Cinna* est resté célèbre. Semble-t-il juste, ou erroné ? Pourquoi ?

Quant aux poètes français, je ne comprends bien que votre Corneille. Celui-là avait deviné la politique, et, formé aux affaires, eût été un homme d'État. Je crois l'apprécier mieux que qui que ce soit, parce que, en le jugeant, j'exclus tous les sentiments dramatiques. Par exemple, il n'y a pas bien longtemps que je me suis expliqué le dénouement de *Cinna*. Je n'y voyais d'abord que le moyen de faire un cinquième acte pathétique, et encore la clémence proprement dite est une si pauvre petite vertu quand elle n'est point appuyée sur la politique, que celle d'Auguste, devenu tout à coup un prince débonnaire, ne me paraissait pas digne de terminer cette belle tragédie. Mais, une fois, Monvel, en jouant devant moi, m'a dévoilé le mystère de cette grande conception. Il prononça le *Soyons amis, Cinna,* d'un ton si habile et si rusé, que je compris que cette action n'était que la feinte d'un tyran, et j'ai approuvé comme calcul ce qui me semblait puéril comme sentiment. Il faut toujours dire ce vers de manière que de tous ceux qui l'écoutent, il n'y ait que Cinna de trompé.

Napoléon, dans les *Mémoires de Mme de Rémusat* (t. I, chap. IV).

Les personnages

Cinna

1. La Harpe, à la fin du XVIIIe siècle, critique le rôle de Cinna comme « essentiellement vicieux, en ce qu'il manque, à la fois, et d'unité de caractère et de vraisemblance morale ». Il ajoute : « Il manque aussi de cette noblesse soutenue, convenable à un personnage principal, qui ne doit rien dire ni rien faire d'avilissant ». En quoi le point de vue de La Harpe est-il essentiellement moral ? Un critique d'aujourd'hui porterait-il le même jugement ?
2. Peut-on partager l'opinion de Serge Doubrovsky selon lequel, au deuxième acte, « Cinna est capable d'improviser une défense de la monarchie si concertée, si serrée, si logique, qu'elle emporte immédiatement l'opinion d'Auguste. Cela serait inconcevable s'il n'exprimait pas subitement une pensée longtemps préparée et mûrie : sa pensée ».

   La réponse donnée influera sur l'interprétation de toute la suite de la pièce.
3. Discuter l'opinion de J. Maurens à propos de la scène 4 de l'acte III : « Il s'agit d'une scène de malentendus entre amants, renouvelée du *Cid* et des premières comédies. »
4. Cinna mérite-t-il d'être appelé un héros cornélien ? Justifiez la réponse avec des exemples précis.
5. Y a-t-il de la lâcheté dans le caractère de Cinna ?
6. Étudier Cinna en tant que personnage romanesque.

Émilie

1. Émilie est-elle un personnage romanesque ?
2. « La vengeance, chez Émilie, devient péniblement calculatrice », écrit Serge Doubrovsky : ce jugement vous semble-t-il excessif ? Apporter une réponse en étudiant le vocabulaire de la vengeance employé par Émilie au premier acte.
3. Émilie est-elle une véritable républicaine ?

4. Comparer les personnages d'Émilie, de Chimène et de Camille.
5. Étudier le vocabulaire de l'énergie dans les principales tirades d'Émilie.

Auguste

1. Auguste est-il le héros de la pièce ? Justifier la réponse.
2. Étudier les oppositions existant entre Octave et Auguste.
3. Étudier l'évolution de la crise morale vécue par le personnage dans le cours de la pièce.
4. Relever et étudier les images sanglantes attachées au personnage.
5. Analyser et commenter le jugement d'Octave Nadal sur Auguste :

Ainsi, le combat d'Auguste n'est pas d'ordre politique (conservation du pouvoir) ni d'ordre moral (punir ou pardonner) ; c'est un conflit entre la puissance et la valeur, résolu de façon satisfaisante par un renversement total chez Auguste de la façon de comprendre la puissance ; l'esprit qui « se ramène en soi » opère ce transfert de la puissance à l'être et ce passage de l'ordre du monde à celui de l'esprit. Auguste, de toute évidence, sur la fin de son effort généreux, est marqué de cette passion spirituelle qui, dans le personnage politique, fait surgir un homme nouveau, inconnu de lui-même et des siens.

Octave Nadal, *le Sentiment de l'amour dans l'œuvre de Pierre Corneille*, Gallimard, 1948.

Livie

1. Le personnage de Livie est-il nécessaire à la pièce ? On pourra partir du jugement très sévère de Voltaire : « On a retranché toute cette scène au théâtre depuis environ trente ans. Rien ne révolte plus que de voir un personnage s'introduire sur la fin, sans avoir été annoncé, et se mêler des intérêts de la pièce sans y être nécessaire. »
2. Analyser les idées politiques de Livie. Peut-on dire qu'elles soient « machiavéliques » ?

Exposé

Comparer Auguste idéalisé par Corneille avec le véritable personnage historique.

Le style

1. Étudier les quatre monologues des principaux personnages : les procédés rhétoriques mis en œuvre par Corneille sont-ils les mêmes ?
2. Quels procédés stylistiques donnent de la beauté et de la vie à la longue tirade de Cinna dans la scène 3 de l'acte I ?
3. Analyser le langage précieux et romanesque dans la scène 4 de l'acte III.
4. Étudier l'ironie des paroles d'Auguste (V, sc. 1).

La mise en scène

1. Quel type de décors proposer pour une pièce qui dispose théoriquement de l'unité de lieu, mais qui se partage, en fait, entre les appartements d'Auguste et d'Émilie ?
2. Les costumes doivent-ils être romains, ou peut-on représenter *Cinna* en costumes de ville modernes ? Peut-on imaginer une représentation de *Cinna* en costumes de cour, comme c'était le cas au XVIIe siècle ?
3. Relever dans le texte les accessoires nécessaires à la représentation.
4. Essayer d'imaginer les mouvements des différents personnages sur scène au cours de l'acte V.
5. Quel âge environ doivent avoir les acteurs pour interpréter les rôles de Cinna, Maxime, Émilie, Auguste et Livie ?
6. Après avoir lu *Cinna,* analyser les différentes représentations d'Auguste (illustration de couverture, gravures, photos de mises en scène reproduites dans ce classique, etc.).

Bibliographie, discographie

Édition

L'édition de référence est celle de G. Couton et M. Rat : *Corneille, théâtre complet,* Garnier, coll. « Classiques », 3 vol., 1971. *Cinna* est publié dans le tome I.

Ouvrages généraux

Paul Bénichou, *Morales du Grand Siècle,* Gallimard, 1948, rééd. en coll. « Folio essais ».

René Jasinski, *Histoire de la littérature française,* Nizet, 1966.

Jacques Morel, *la Tragédie,* A. Colin, 1970.

Corneille et son œuvre

Georges Couton, *Corneille,* Hatier, 1958.

Serge Doubrovsky, *Corneille et la dialectique du héros,* Gallimard, 1963.

Louis Herland, *Corneille par lui-même,* le Seuil, 1958.

Jacques Maurens, *la Tragédie sans tragique, le néostoïcisme dans l'œuvre de Pierre Corneille,* A. Colin, 1966.

Octave Nadal, *le Sentiment de l'amour dans l'œuvre de Pierre Corneille,* Gallimard, 1948.

Michel Prigent, *le Héros et l'État dans la tragédie de Pierre Corneille,* P.U.F., 1986.

Études sur *Cinna*

Georges Bousquié, *Corneille à travers « Cinna »,* Foucher, 1957.

Charles Dullin, *Cinna,* le Seuil, 1948.

Commentaires

Dans cette bibliographie, on retiendra essentiellement :

• les pages 15 à 120 de Paul Bénichou, replaçant l'œuvre de Corneille dans une perspective historique et montrant les rapports existant entre les héros cornéliens et les jeunes nobles vivant à l'époque de Louis XIII ;

• les nombreux articles de Georges Couton, en particulier les notices figurant avant chacune des œuvres de Corneille, dans le tome I des éditions Garnier, qui rétablissent avec justesse les circonstances historiques accompagnant la création de chaque œuvre ;

• les pages 185 à 221 de la thèse de Serge Doubrovsky, consacrées à *Cinna ou la Conquête du pouvoir,* qui contiennent des perspectives nouvelles et passionnantes sur cette œuvre. Si certaines analyses peuvent paraître excessives, notamment quand l'auteur souligne le caractère calculateur d'Émilie, en revanche, l'analyse du caractère de Cinna est particulièrement intéressante et contient des remarques fort judicieuses sur l'attitude du personnage à l'acte II ;

• le *Corneille par lui-même* de Louis Herland offrant une vision intéressante de la personnalité de Corneille, que l'auteur essaie de reconstituer à travers son œuvre et les témoignages qui nous restent de sa vie ;

• la thèse de Jacques Maurens qui restitue avec bonheur le climat intellectuel (néostoïcisme, préciosité) entourant l'œuvre de Corneille ;

• on trouvera une intelligente analyse du sentiment de l'amour chez Corneille dans l'ouvrage d'Octave Nadal, qui s'attache également à montrer l'influence des œuvres tragiques précédentes et contemporaines ;

• le récent livre de Michel Prigent qui tente une analyse politique du héros cornélien et aboutit à une sorte de synthèse des thèses élaborées sur Corneille pendant ces dernières années ;

• enfin, si l'on a la chance de trouver en bibliothèque les

Remarques sur Cinna de Voltaire, on découvrira dans ces pages des analyses souvent vieillies (au nom de la bienséance et d'un rigorisme moral excessif), mais également pénétrantes et qui témoignent de l'attitude de tout un siècle à l'égard de Corneille.

Discographie

Corneille, *Cinna,* texte intégral, « Encyclopédie sonore », Hachette.

Petit dictionnaire pour commenter *Cinna*

allégorie *(n.f.) :* expression d'une idée abstraite sous la forme d'un être humain ou divin.
« Impatients désirs d'une illustre vengeance
Dont la mort de mon père a formé la naissance,
Enfants impétueux de mon ressentiment » (v. 1-3).

alliance de mots (ou oxymore) : fait d'associer des mots de sens opposé.
« Mais voici de retour cette aimable inhumaine » (v. 905).

allitération *(n.f.) :* répétition d'une sonorité dans plusieurs mots qui se suivent.
« Cinna, tu t'en souviens, et veux m'assassiner » (v. 1476).

anaphore *(n.f.) :* répétition significative d'un mot en tête de phrase ou de vers.
« Vous me faites priser ce qui me déshonore ;
Vous me faites haïr ce que mon âme adore ;
Vous me faites répandre un sang pour qui je dois
Exposer tout le mien et mille et mille fois :
Vous le voulez, j'y cours, ma parole est donnée » (v. 1057-1061).

antiphrase *(n.f.) :* fait de dire une chose en laissant entendre le contraire.
« Ose me démentir, dis-moi ce que tu vaux,
Conte-moi tes vertus, tes glorieux travaux » (v. 1523-1524).

antithèse *(n.f.) :* opposition de deux mots ou de deux idées.
« Il fut votre tuteur, et vous son assassin » (v. 1599).

apostrophe *(n.f.) :* fait de se détourner d'un objet ou d'une personne pour s'adresser à une autre.

« Ô dieux, qui comme vous la rendez adorable,
Rendez-la, comme vous, à mes vœux exorable » (v. 901-902).

asyndète *(n.f.)* [ou disjonction] : absence de liaison.
« L'heure, le lieu, le bras se choisit aujourd'hui » (v. 139).

chiasme *(n.m.) :* inversion de l'ordre des mots dans deux membres de phrase parallèles afin d'obtenir un croisement.
« Nous lui devons nos biens, nos jours sont en sa main » (v. 1615).

comparaison *(n.f.) :* fait de mettre deux termes en parallèle au moyen d'un terme de comparaison.
« Mais l'exemple souvent n'est qu'un miroir trompeur » (v. 388).

conjonction *(n.f.) :* fait de relier les mots ou groupes de mots par des liaisons.
« Vous mettez et l'Europe, et l'Asie, et l'Afrique,
Sous les lois d'un monarque ou d'une république » (v. 401-402).

correction *(n.f.) :* fait de reprendre ce qu'on vient de dire.
« Et son salut dépend de la perte d'un homme,
Si l'on doit le nom d'homme à qui n'a rien d'humain,
À ce tigre altéré de tout le sang romain » (v. 166-168).

dérivation *(n.f.) :* fait d'employer dans une même phrase plusieurs mots de la même origine.
« On n'est point criminel quand on punit un crime » (v. 742).

euphémisme *(n.m.) :* manière atténuée de présenter les choses.
« Il ajoute : Dis-lui que je me fais justice » (v. 1110).
« Je me fais justice » signifie ici « je vais me tuer ».

exclamation *(n.f.) :* expression spontanée, brutale, parfois désordonnée, d'une émotion.
« Ô coup ! ô trahison trop indigne d'un homme ! » (v. 885).

gradation *(n.f.) :* procédé consistant à disposer plusieurs mots suivant une progression.
« Mais pourrais-je vous dire à quelle impatience,

À quels frémissements, à quelle violence,
Ces indignes trépas quoique mal figurés
Ont porté l'esprit de tous nos conjurés ? » (v. 209-212).

hyperbole *(n.f.)* : exagération dans les termes employés.
« D'effroyables soucis, d'éternelles alarmes,
Mille ennemis secrets, la mort à tout propos » (v. 374-375).

interrogation oratoire : interrogation purement rhétorique, qui n'attend pas de réponse.
« Quoi ? Je le haïrai sans tâcher de lui nuire ?
J'attendrai du hasard qu'il ose le détruire ? » (v. 97-98).

interruption *(n.f.)* : suspension, parenthèse.
« Ah ! plutôt... Mais, hélas ! J'idolâtre Émilie » (v. 813).

inversion *(n.f.)* : construction dans laquelle on change l'ordre normal des mots.
« Fuis d'Auguste irrité l'implacable colère » (v. 301).

litote *(n.f.)* : fait de dire moins pour faire entendre plus.
« Vous n'êtes point pour elle un homme à dédaigner » (v. 644).

métabole *(n.f.)* [ou synonymie] : emploi de plusieurs mots de sens voisin.
« Et, ne me permettant soupirs, sanglots, ni pleurs » (v. 1299).

métaphore *(n.f.)* : rapprochement de deux termes rattachés habituellement à des réalités différentes, pour créer une image, la comparaison pouvant être sous-entendue.
« Cette haine des rois, que depuis cinq cents ans
Avec le premier lait sucent tous ses enfants » (v. 522-523).

métonymie *(n.f.)* : procédé par lequel on exprime une chose par une autre, par exemple l'effet par la cause, le contenant par le contenu, le tout par la partie... et inversement.
« Pour m'arracher le jour l'un et l'autre conspire » (v. 1086).

paronomase *(n.f.)* : rapprochement de deux mots assez semblables de forme, mais qui n'ont aucun rapport de sens.
« Que sa bonté touchât la beauté qui me charme » (v. 801).

périphrase *(n.f.)* : expression plus compliquée employée pour désigner une chose ou une idée simple que l'on ne veut pas nommer.
« Puisse le grand moteur des belles destinées » (v. 1749).

prétérition *(n.f.)* : procédé consistant à faire semblant de passer sous silence la chose sur laquelle on veut insister.
« Vous dirai-je les noms de ces grands personnages
Dont j'ai dépeint les morts pour aigrir les courages » (v. 205-206).

répétition *(n.f.)* : reprise significative de certains mots.
« Aujourd'hui l'on assemble, aujourd'hui l'on conspire » (v. 138).

syllepse *(n.f.)* : emploi d'un même mot avec des sens différents.
« Mais écouteriez-vous les conseils d'une femme ?
— Hélas ! de quel conseil est capable mon âme ? » (v. 1197-1198).
« Conseil » signifie « résolution », au vers 1198.

zeugma *(n.m.)* : coordination de deux ou plusieurs éléments qui ne sont pas sur le même plan syntaxique et sémantique.
« Je suis maître de moi comme de l'univers » (v. 1696).

Conception éditoriale : Noëlle Degoud.
Conception graphique : François Weil.
Collaboration rédactionnelle : Nicole Crémer.
Coordination éditoriale : Emmanuelle Fillion
et Marie-Jeanne Miniscloux.
Coordination de fabrication : Marlène Delbeken.
Documentation iconographique : Nicole Laguigné.
Schéma p. 8 : Thierry Chauchat et Jean-Marc Pau.

Sources des illustrations
Agence de Presse Bernand : p. 34, 56, 66, 92, 128.
Bulloz : p. 6, 140.
Marc Enguérand : p. 75.
Giraudon : p. 14, 18.
Harlingue-Viollet : p. 5.
Larousse : p. 124.
Lipnitzki-Viollet : p. 142.
J.-F. Rault-Enguérand : 46, 105.
Roger-Viollet, collection Viollet : p. 26.
Tallandier (photo Bibliothèque nationale) : p. 12, 31.

COMPOSITION : SCP BORDEAUX.
IMPRIMERIE HÉRISSEY - 27000 ÉVREUX N° 51921
Dépôt légal : septembre 1990. N° de série Éditeur : 15769.
IMPRIMÉ EN FRANCE *(Printed in France).*
871101 - septembre 1990.